Carmen Martín Gaite

La búsqueda de interlocutor
y otras búsquedas

Carmen
Martín Gaite

La búsqueda de interlocutor

y otras búsquedas

Ediciones Destino
Colección
Destinolibro
Volumen 176

Portada: collage de la autora

© Carmen Martín Gaite
© Ediciones Destino, S.L.
Consejo de Ciento, 425. Barcelona-9
Primera edición: Nostromo, Madrid 1973
Primera edición en Destinolibro: febrero 1982
ISBN: 84-233-1193-7
Depósito legal: B. 9262-1982
Compuesto, impreso y encuadernado por
Printer industria gráfica s.a.   Provenza, 388   Barcelona-25
Sant Vicenç dels Horts   1982
Impreso en España - Printed in Spain

Prólogo a la primera edición

Se recogen en este volumen una serie de artículos que he venido publicando en diversas revistas a lo largo de diez años. La selección creo que tiene cierta unidad; en todos ellos se roza profunda o lateralmente un asunto al que he comprobado que, más tarde o más temprano, acaba remitiendo cualquier posible reflexión sobre los conflictos humanos: el de la necesidad de espejo y de interlocución, se sepan o no buscar. Necesidad enmascarada por un cúmulo de circunstancias adversas y de interpretaciones falaces, pocas veces confesada y menos satisfecha, pero que nunca, aun cuando se reniegue agresivamente de ella, deja de condicionar, como último móvil, nuestros actos y nuestras omisiones.

Hay un artículo que podría parecer extraño al conjunto: el que escribí en noviembre de 1969, recién muerto mi amigo Ignacio Aldecoa, con quien en los últimos años había hablado muy poco. Pero el hecho de escribirlo respondía a una necesidad concreta y personal de interlocución con el amigo muerto, era como un desagravio desesperado a aquellas conversaciones diferidas, a aquellos recuerdos que siempre pensaba que habría tiempo para revisar placenteramente en común frente a un vaso de vino. Fue escrito bajo la penosa constatación —evidencia brutal que solamente la muerte aporta— de la ruptura inexorable de nuestras relaciones pasadas y posibles. Por eso, aunque no se hagan en él menciones explícitas a las dificultades e inercias que el mundo opone a la comunicación con los demás, lo he querido incluir; porque la cuestión operaba en mí de fondo.

La selección se cierra con un cuento que escribí en 1970. El quiebro que introduce este cambio de género, aunque algunos lo puedan tener por anacrónico, a mí no me parece obstaculizar la armonía del conjunto, sino que, por el contrario, lo veo como un remate muy adecuado a las consideraciones acerca de la desazón femenina que sirven de tema a los escritos que le preceden.

Como se verá, los artículos no están agrupados por orden cronológico; me he limitado a poner al pie de cada uno la fecha de su publicación y el nombre de la revista en la cual aparecieron. El libro lleva el título de uno de ellos, que es también el más ilustrativo de cuanto vengo diciendo: toda búsqueda de aprecio, de identidad, de afirmación o de confrontación con el mundo se reducen, en definitiva, a una búsqueda de interlocutor.

Madrid, diciembre de 1972

Nota a la segunda edición

En la presente edición la autora ha suprimido el cuento «Tarde de tedio» que ahora figura en sus Cuentos completos de Alianza Editorial. Y ha añadido, en cambio, siete artículos más, que son: «La enfermedad del orden», «Contagio de actualidad», «Quejosos y quejicosos», «Cuarto a espadas sobre las coplas de posguerra», «Mi encuentro con Antoniorrobles», «Conversaciones con Gustavo Fabra» y «Ponerse a leer».

Algunos de ellos, como «La enfermedad del orden», «Ponerse a leer» y «Cuarto a espadas», encierran opiniones y sentimientos que la autora ha elaborado posteriormente en su novela El cuarto de atrás. El tema de las diferencias entre hablar y escribir, base de Retahílas, se apunta en «La búsqueda de interlocutor» y se recoge en «Conversaciones con Gustavo Fabra».

Madrid, diciembre de 1981

Los malos espejos

Cuando yo era niña, recuerdo haberme sentido muy fascinada por un recurso literario común a varias de las historias de amor primeras que leí, bien procedentes del campo de la novela rosa (aquella colección en rústica desde cuya portada solía mirarnos, por una cincuenta, cierta extraña mujer de boquita pequeña, ojos perdidos en la lejanía y sombrero calado hasta las cejas), bien de unos folletines decimonónicos con olor a humedad que habían alimentado también sueños juveniles de mi madre y se guardaban en los armarios de una casa donde veraneábamos, en Galicia.

Este recurso literario, inadvertido entonces para mí como tal artificio, consistía en el despliegue de ciertos elementos constantes y más o menos análogos, encaminados a rodear de un clima de excepcionalidad el encuentro de los protagonistas, es decir, el momento en que pasaban de ser desconocidos a conocerse aquel hombre y aquella mujer que el autor, mediante una amañada y anterior atención a sus ademanes y rasgos, ya nos había venido señalando tácitamente como destinados a amarse contra viento y marea a través del hojaldre de vicisitudes y malentendidos que habían de disolverse en el capítulo final. El hecho de que, al cabo de los años, la urdimbre de todas aquellas historias, devoradas en siestas veraniegas y en noches invernales, forme un conglomerado irrelevante del que solamente consiguen destacarse con sorprendente nitidez muchas de estas escenas iniciales del encuentro, no puedo atribuirlo a mayor maestría literaria por parte del autor en el tratamiento de estos fragmentos salvados del olvido, ya que, si bien se piensa, no eran menos convencionales que el resto del argumento, sino más bien al contrario. A solas, casi siempre de noche o al atardecer y mediante irrupción inesperada o violenta, cuya justificación no siempre era satisfactoria, el autor colocaba frente a frente por vez primera a aquellos jóvenes desconocidos en el seno de un decorado natural cuyas tintas de grandiosidad solían cargarse recurriendo a una gama de imágenes tópicas que tocaban a veces lo grotesco. Y, sin embargo, hoy pienso que aquel ritual tenía cierto sentido: el de enmarcar el encuentro, acentuándolo como acontecimiento en sí y, por supuesto, el primordial de toda la novela. Comprendo, en suma, que con aquellas solemnidades descriptivas se estaba festejando el nacimiento de una esperanza tan arraigada en el alma humana que su renovación, por pobremente que se encienda, una y mil veces ha de hallar eco en todas las conciencias: la de que un ser pueda ser conocido y abarcado por otro con quien se enfrenta por vez primera. (Esperanza tergiversada, defraudada e incumplida en general de modo irremediable a lo largo de tiempos y de historias, pero resurgida perennemente al más tenue calor que la propicie.) Y esta esperanza resplandecía allí, nimbando la escena inicial del encuentro, aunque sus posibilidades se perdieran después enterradas en el discurrir de la anodina historia donde nadie llegaba a conocer a nadie, desorientados los propios protagonistas de su búsqueda inicial bajo la pulverización de aquella anestesia sonrosada, uniforme y empalagosa con que los rociaba el autor a través de páginas y páginas hasta apagar en cada uno de ellos cualquier conato de curiosidad por el otro, hasta marearlos y entontecerlos.

Yo siempre cerraba aquellos libros, a los que tan ávidamente me había asomado, con la certeza de que, a despecho de las caricias de aquellas jóvenes, algo les había impedido ser ellos mismos, relacionarse de un modo autónomo y original, y pensaba que si yo no había logrado conocerlos —es decir, diferenciar en algo a aquella María Victoria y a aquel Raúl de la Esmeralda y el Jorge de otra novela— era porque ni uno ni otro habían sabido darse nada de lo que prometían y pedían sus miradas primeras, o, dicho con otras palabras, porque tampoco ellos se habían conocido en absoluto, por mucho velo blanco y flor de azahar que cerrara el relato. Y, al revivir ahora el repetido rastro de decepción que me dejaron aquellas novelas, tan lejano que se trata posiblemente de mis primeras decepciones, me parece percibir en su sabor, entonces inexplicable, una analogía con la amargura derivada después en tantas ocasiones del trato con personas a quienes defraudé o me defraudaron con referencia a las esperanzas concebidas para aquella amistad cuando se inició, o sea, en el momento del encuentro. Así que, a este respecto, se trataba de una retórica significativa (y a eso atribuyo su huella en mi recuerdo), la que se desplegaba en las novelas a que me vengo refiriendo para escenificar el encuentro de los protagonistas. La eficacia de aquellos relámpagos, bosques, huracanes, cumbres, playas solitarias, parques, barrancos o pueblecitos perdidos que servían de decorado no estaba tanto en el acierto de su evocación como en su misión simbólica de subrayar y enfatizar las posibilidades del encuentro como tal; las mismas —desaprovechadas o no— que siguen y seguirán latiendo en la raíz de todo nuevo conocimiento, de por sí excepcional e irrepetible. Tanto aquellos rumores, perfiles y luces del entorno como la irrupción insólita en escena de alguno de los personajes —constante casi nunca fallida— eran estímulos que predisponían al lector a justificar la inmediata y fulminante curiosidad surgida entre aquellos dos seres que no sabían nada uno de otro y que —bien se mirasen simplemente o bien se hablasen ya— no habían de desear desde aquel punto y hora en adelante otra cosa, sino volver a verse.

Existía, por otra parte, aunque con menor frecuencia, un elemento más que me interesa destacar entre los ingredientes de aquellas historias, otro recurso, común éste a la literatura de todos los tiempos. Me refiero al cambio de apariencia, gradual o brusco, que solía sufrir alguno de los protagonistas en el curso de escenas posteriores, mediante cuya transformación se descubría que en el primer encuentro había fingido, por razones diversas que el texto iba explicando, una personalidad extraña a la suya habitual. Pero todas aquellas razones aparentemente diferentes venían a resumirse a la postre en una sola, en la misma de siempre, a la cual el lector, además, que estaba en el secreto, se había adherido de antemano con una benevolente solidaridad no exenta de envidia. Y la razón era ésta: aquellas personas que se fingían otras querían liberarse de la servidumbre de su propia biografía, de perder aquel peso por un día, por diez o para siempre; deseaban, en definitiva, ser otros y no podían serlo si alguien no les miraba como a seres en blanco, a descubrir exclusivamente guiándose por los datos y signos que la nueva relación que se gestaba fuera posibilitando. O, para decirlo con frase que más tarde o más temprano acababa apareciendo en boca de aquellos ingenuos farsantes, lo que les había empujado a la ficción era el anhelo de «ser queridos por sí mismos».

Esta pretensión, aun cuando enunciada en un lenguaje sentimental que confunde y hace discutible su sentido, no deja de albergar, con todo, una sed de autenticidad cuyas raíces son tan antiguas y universales que su rastreo nos llevaría nada menos que a estudiar el sentido del disfraz en la literatura, en los juegos y en la vida. Recuérdese, por ejemplo, que Felipe V, cuando fue a Cataluña para recibir a su prometida María Luisa de Saboya, a quien no conocía, la acompañó durante un trecho del camino de incógnito, como un servidor más de los que, a caballo, daban escolta a su litera. Sin duda, el joven Rey, a quien ya empezaban a pesar demasiado los agobios y responsabilidades derivados de un papel con el que nunca se identificó del todo, deseaba dejar de asumirlo durante unas horas y sentirse espejado en los ojos de aquella niña como simple jinete apuesto, recibir la simpatía exenta de ganga que tal figura pudiera despertar en ella; dejarse mirar, en suma, a biografía depuesta, ser apreciado «por sí mismo».

Ahora bien, si tanto a este Rey disfrazado de escolta como a las misteriosas aristócratas centroeuropeas que en la novela rosa se hacían pasar por institutrices les hubiera preguntado alguien por esa identidad, por ese «lo que soy», cuya esencia parecían tener en tanto, no la hubieran sabido definir ni aproximadamente. Precisamente la buscaban en los ojos de otro, pedían un buen espejo que se la hiciera conocer. A eso es a lo que voy: lo que querían era conocerla.

Hoy día, que no nos solemos disfrazar de nada, ni tenemos de ordinario la ocasión de encontrarnos al anochecer con un desconocido misterioso junto a un solitario acantilado, perdura, sin embargo, en nosotros esa sed de ser reflejados de una manera inédita por los demás, la sed de espejo.

A todos, ya lo creo, nos gustaría encontrar ese buen espejo donde no se reflejaran más imágenes que las que se fueran produciendo al ponernos nosotros frente a él, por fragmentarias, incoherentes o indescifrables que fueran. Un espejo que no nos amenazara con estar albergando en el fondo de su azogue previas versiones de nuestro ser, ni siquiera aun cuando fueran más armoniosas y halagüeñas que las que ese momento promueve y estimula. Lo que uno querría, en efecto, a cada momento, es que le mirasen y tuviesen en cuenta por ese momento, que le dejasen ensayarse en libertad, que no le interpretasen por la falsilla de datos anteriores a los gestos que está haciendo o a las palabras que está diciendo. ¿A quién no le ha agobiado alguna vez su propia biografía, quién no ha sentido el deseo de arriar el personaje que la vida le impele a encarnar y con cuyo espantajo irreversible le acorralan los malos espejos, esos ojos que no saben mirar ni leer más que lo ya mirado o leído por otros?

He llegado a pensar que, si se profundizase con tesón y buena fe en los conflictos psicológicos que zarandean y esclavizan a la mayoría de las personas de nuestro entorno, se descubriría que por debajo de los dispares argumentos enhebrados con mayor o menor lucidez o sinceridad para explicar el propio malestar, late (desvinculado de esas historias que el paciente petrifica, al contarlas, condenándose a su yugo) un último motivo unánime de infelicidad: esa sed de que alguien se haga cargo de la propia imagen y la acoja sin someterla a interpretaciones, un terreno virgen para dejar caer muerta la propia imagen, y que reviva en él.

A lo que más apego se tiene es a uno mismo, pero los esforzados y solitarios buceos por el interior de ese habitáculo, mitad orden mitad caos, que constituye el propio ser acaban resultando insuficientes, por mucha querencia que nos vincule a tal recinto. Incluso para la gente —cada día más escasa, por cierto— capaz de aguantarse a sí misma y de resistir a pie quieto en la morada personal, los pasillos y recodos miles de veces explorados, palpados y recorridos a solas se convierten al cabo en laberinto. Y el propio yo viene a verse con una especie de telón despintado y engañoso que solamente una mirada ajena podría hacer creíble y reivindicar.

Pero las miradas ajenas sobre el propio recinto resultan peligrosas; una y mil veces hemos comprobado que introducen elementos de difícil injerto y acomodo, que añaden confusión, y nos hemos sentido agobiados por el peso de la decepción que se derivaba de esa comprobación cuanto más reincidente más abrumadora, nos hemos preguntado: «pero, ¿por qué siempre lo mismo?; pero, ¿por qué?». Creo, recogiendo el hilo de lo que antes venía diciendo, que existe una razón fundamental, la que invoco en el título mismo de estas reflexiones: la de que los espejos son malos, traen resabio. Las miradas que se asoman a nuestro recinto se empeñan en ordenar desde fuera, con arreglo a normas previas y postizas, se aplican a rectificar lo que ven, a colocarlo e inventariarlo de modo definitivo apenas se dibuja el más tímido escorzo que pudiera animar a la exploración o a la contemplación. Hacen eso: se asoman desde lo más fuera posible, justamente desde la rendija que basta para poder meter un poco las narices más que los ojos y pegar una nueva etiqueta expeditiva, «ya está, a ése ya lo he entendido, ya puedo hablar de él, larguémonos con la música a otra parte, a otra rendija, éste ya está archivado, paranoico, invertido, reprimido, lo que sea, cuestión zanjada». Son miradas que se asoman, que no se aventuran a internarse, que no permiten desahogo a los objetos amontonados en aquel interior para que se revelen en una sucesión lenta y autónoma de imágenes fieles a su propia confusión, a su propio desorden: son miradas que abominan lo intrincado.

Esta tendencia a la interpretación expedita se ve favorecida y aumentada por el alud de datos banales, apresurados y siempre de segunda mano que hoy en día cada persona se dedica a poner en circulación con un empeño ardiente y compulsivo acerca de todas las demás personas no ya que conoce, sino que ha visto arriba de dos veces o de las que ha oído simplemente hablar, posiblemente a otros que tampoco habían aplicado demasiado rigor al conocimiento de esas almas cuya interpretación ventilan. Con lo cual viene a crearse una especie de remolino de datos equivocados sobre datos equivocados, un cerco mareante y maldito estrechándose sobre cada individuo, acorralándole de modo cada día más irreversible.

En el fondo de esta cuestión anida, en definitiva, un último y profundo «quid» común a otras muchas que padece el hombre de nuestros días. El secreto está en que ya nadie se aventura a solas a nada, cada día da más miedo. Ni a conocer a una persona, ni a leer un libro, ni a hacer un viaje. Para todo se acude a las guías, a los informes, a los resúmenes. Nadie quiere arriesgarse porque ir a solas entraña siempre riesgo, de eso qué duda cabe; pero es, por otra parte, la única forma de inventar o de descubrir algo inédito. Ni de un libro se puede tener idea leyendo la solapa o mirando sus páginas al son de un tocadiscos, ni un paisaje nos lo puede explicar un cicerone, ni alguien de quien se han pedido informes nos dirá nunca nada. Tanto los lugares como las personas, como los libros, aun a riesgo de perderse por ellos, hay que atreverse a leerlos uno mismo. Simplemente dejándolos ser.

Y solamente aquellos ojos que se aventuraran a mirarnos partiendo de cero, sin leernos por el resumen de nuestro anecdotario personal, nos podrían inventar y recompensar a cada instante, nos librarían de la cadena de la representación habitual, nos otorgarían esa posibilidad de ser por la que suspiramos.

Triunfo, julio de 1972

La búsqueda de interlocutor

Para Juan Benet,
cuando no era famoso

La capacidad narrativa, latente en todo ser humano, no siempre —y cada vez menos— encuentra una satisfactoria realización en la conversación con los demás. Es más: siempre me he inclinado a pensar que el originario deseo de salvar de la muerte nuestras visiones más dilectas, nuestras más fugaces e intensas impresiones, a pesar de constituir la raíz inexcusable de toda ulterior narración, comporta un primer estadio de elaboración solitaria donde la búsqueda de interlocutor no se plantea todavía como problema. Es decir, que las historias ya nacen como tales al contárselas uno a sí mismo, antes de que se presente la necesidad, que viene luego, de contárselas a otro.

Y si digo contar, en lugar de recordar o revivir, como habitualmente se acostumbra, es porque, de hecho, en nuestras evocaciones solitarias existe un primer esbozo narrativo donde se contiene ya el germen esencial y común a toda invención literaria: la facultad de escoger. No es recordar, sino seleccionar los recuerdos de una determinada manera, lo que convierte al protagonista de cualquier situación, cuya mera repetición fotográfica no le puede contentar, en narrador (o sea sujeto y artífice) de ella.

La vida secreta de Walter Mitty, una película bastante mediocre que se vio hará unos veinte años, tocaba, sin embargo, un tema interesantísimo al presentarnos a aquel pobre tímido que, para compensar lo insatisfactoriamente vivido, intentaba *a posteriori* actitudes heroicas, partiendo de los mismos acontecimientos que en la realidad le habían avasallado. Es un fenómeno frecuente en grado sumo este del «waltermittismo», pero, además del deseo de darse a valer frente a los demás, que puede ser una de sus interpretaciones, creo que tiene otro motivo en un afán de dar salida a esa capacidad narrativa atrofiada frente a episodios demasiado vulgares y, sobre todo, que escapan a nuestro control. Como reacción, el hombre acierta, a veces, a investirse de unas facultades extraordinarias, al conjuro de las cuales crea una vida que le satisface más; pero lo importante es que no la crea para vivirla, sino para contarla. Cuando vivimos, las cosas nos pasan; pero cuando contamos, las hacemos pasar; y es precisamente en ese llevar las riendas el propio sujeto donde radica la esencia de toda narración, su atractivo y también su naturaleza heterogénea de los acontecimientos o emociones a que alude. No se trata, pues, solamente del deseo de prolongar por algún tiempo más las vivencias demasiado efímeras, trascendiendo su mero producirse, sino de hacerlas durar en otro terreno y de otra manera: se trata, en suma, de transformarlas. El sujeto, en efecto, como si se rebelara contra la contingencia de lo ocurrido, al narrárselo, no se limita casi nunca a elegir una ordenación particular, a preferir unos detalles y dejar otros en la sombra, sino que recoge también de otros terrenos que no son el de la realidad —lecturas, sueños, invenciones— nuevo material con que moldear y enriquecer su historia. Y así, los episodios vividos, antes de ser guardados en el arca de la memoria, de la cual sabe Dios cuándo volverán a salir, son sometidos (no siempre, pero sí a veces, de igual manera que unos muertos se embalsaman y otros no) a un proceso de elaboración y recreación particular, donde, junto a lo ocurrido, raras veces se dejará de tener presente lo que estuvo a punto de ocurrir o lo que se habría deseado que ocurriera. Esto, por darse sobre todo en la adolescencia, que es cuando más nos deslumbra todo lo que nos pasa y cuando más tendencia tenemos a magnificarlo, puede explicar el fenómeno de que algunos recuerdos de infancia y juventud surjan de pronto, cuando menos lo esperábamos, perfectamente elaborados, sin que logremos entender el aparente misterio de que una historia que a lo mejor no habíamos contado a nadie se nos muestre en su primera versión oral tan completa y bien conservada. Consiste en el cuidado y el interés con que, en su día, nos la contamos a nosotros mismos antes de guardarla.

Tan importante es la posibilidad humana de narración y tan viva está la noción de su riqueza en todas las conciencias, que existe en castellano una frase muy expresiva, aplicable a los supervivientes de las catástrofes. «Quedó uno para contarlo», se suele decir;

y a esta función de narrador se le asigna un sentido de misión en casos semejantes, como si el destino más destacado del superviviente fuera en adelante, el de trascender por medio de la narración la azarosa circunstancia gracias a la cual sobrevive.

Pero vengamos ya a la cuestión que propiamente ha motivado estas consideraciones y que se plantea más tarde o más temprano simultáneamente con el deseo de romper la soledad: me refiero a la búsqueda de un destinatario para nuestras narraciones.

Con respecto a la narración oral, esta búsqueda de interlocutor representa una condición ineludible. Bien es verdad que hay casos extremos de personas que llegan a hablar solas o, como el personaje de un cuento de Chejov, con su caballo. Pero esto se debe a que el mundo en torno no siempre es propicio ni mucho menos a que florezca la conversación que querríamos tener, y la que nos es dable tener pocas veces nos satisface. La del interlocutor no es una búsqueda fácil ni de resultados previsibles y seguros, y esto por una razón fundamental de exigencia, es decir, porque no da igual cualquier interlocutor. La gente que nos tiene demasiado vistos y oídos, la que nos ha demostrado indiferencia o tosquedad, la que tiene prisa o la que nos cohíbe por otro motivo cualquiera de los muchos que cabría analizar, no sólo no nos sirve, sino que espanta esa disposición de sosiego y complacencia indispensable para engendrar las narraciones cuidadosas. «La elocuencia —escribió el padre Sarmiento— no está en el que habla, sino en el que oye...; si no precede esa función en el que oye, no hay retórica que alcance.» Y así es, efectivamente; tiene que aparecer destinatario propicio porque «nuestras cosas» no se las podemos contar a cualquiera ni de cualquier manera. (Quiero aclarar que en este caso el posesivo no supone relación obligatoria de lo contado con la vida privada del sujeto que lo cuenta, sino que se refiere exclusivamente a su significación para él, y por supuesto que «sus cosas», poniendo el acento en el interés con que se las tome, pueden ser tanto la botánica para un botánico como para un donjuán sus amoríos.) Pero el amigo que quiera escuchar en un momento dado la historia que nosotros quisiéramos contar es tan difícilmente hallable como el que, en otros casos, acertara a contarnos la que necesitáramos oír; lo cual, claro está, no quiere decir que la sed de narrar y de escuchar no existan aisladamente por el mundo. A veces —y esto no es tan infrecuente— nos sorprendemos contándole a un desconocido, de quien las circunstancias han hecho amigo ocasional, historias atrasadas, apenas latentes debajo de tantos argumentos cotidianos como las enterraban, y que seguramente nunca habrían hallado liberación por la vía de la palabra si la azarosa combinación de tales circunstancias no hubiera favorecido el encuentro con esa persona para cuyos oídos la narración se produjo.

En resumen: que si el interlocutor adecuado no aparece en el momento adecuado, la narración hablada no se da.

Ahora bien, ¿existe ese mismo condicionamiento para la narración escrita? Evidentemente, no; y en eso consiste la esencial diferencia entre ambas, en la distinta capacidad que ofrecen al sujeto para el ejercicio de la libertad. Es decir, que, mientras que el narrador oral (salvo en algunos casos de viejos o borrachos) tiene que atenerse, quieras que no, a las limitaciones que le impone la realidad circundante, el narrador literario las puede quebrar, saltárselas; puede inventar ese interlocutor que no ha aparecido, y, de hecho, es el prodigio más serio que lleva a cabo cuando se pone a escribir: inventar con las palabras que dice, y el mismo golpe, los oídos que tendrían que oírlas.

Son dos estímulos de invención interdependientes y simultáneos. Y la prueba de que el primero no se basta a sí mismo es que incluso dentro del relato ya estructurado como tal permanece la vigencia del segundo estímulo, concretándose en la creación de esos personajes encargados de recoger en una fiesta, en un viaje o en una posada las palabras de quien ya tenía relieve para el lector o viene a tomarlo justamente a través de aquello que cuenta: meros interlocutores que, por lo general, una vez cumplido su importante papel de apoyo y refuerzo para la narración, suelen quitarse igual que se retira un andamio. Aunque otras veces el hecho de dar pie a la historia y escucharla tiene una secuela de ramificaciones sentimentales, en virtud de cuyos lazos el interlocutor puede llegar a acceder al rango de personaje principal. Pero dejemos esto.

La narración dentro de la narración es un recurso que se repite desde la más remota literatura hasta nuestros días. No sé resistirme a traer como ejemplo, al respecto de la implicación del interlocutor en la órbita del narrador, un caso extremo de sabiduría literaria: el de la sultana de *Las mil y una noches*, quien dejando pendiente para el otro día un fragmento de la narración comenzada, cautivó a su señor mucho más profundamente que con el mayor refinamiento de lascivia. Ejemplos de interlocutores más o menos irrelevantes y silenciosos hay tantos a lo largo de la historia de la literatura que el reunir unos cuantos y traerlos aquí resultaría muy fácil y sugerente, pero no hace al caso. Lo que quiero destacar es que en la frecuencia de este procedimiento de aportación de interlocutores interiores al relato (procedimiento usado con muy varia fortuna, por cierto, tanto que podría servirnos de piedra de toque para juzgar el genio del escritor) es equivocado limitarse a ver la mera pervivencia de una técnica heredada. Yo me resisto a ello. Bien o mal empleado, este recurso, cada vez que aparece es reflejo de una intrínseca necesidad del relato, y, aunque no niego que puede pesar la herencia literaria, me inclino a suponer que, si no estuviera inventado, se inventaría espontáneamente siempre que el escritor, al reconsiderar su soledad, en esos momentos en que la narración parece no tener soporte y amenazar con venirse abajo, necesitara apuntalarla nuevamente contra algo, o mejor dicho contra alguien. Lo interpreto casi como una trasposición al plano de lo escrito de los «¿me oyes todavía?» o «no te habrás dormido» que, también espontáneamente, jalonan con frecuencia nuestras narraciones orales cuando decaen; elocuentes muestras ambas de ese afán por buscar el bulto del oyente —real o inventado—, afán que constituye, repito, el originario móvil y perenne acicate de toda narración.

Y con esto creo llegado el momento de aventurar una suposición que para mí tiene muchos visos de evidencia: la de que nunca habría existido invención literaria alguna si los hombres, saciados totalmente en su sed de comunicación, no hubieran llegado a conocer, con la soledad, el acuciante deseo de romperla. Esto no quiere decir ni mucho menos que yo dé por positiva esa incomunicación de los humanos en nombre de la literatura que les ha llevado a engendrar, ni tampoco me atrevo a afirmar que semejantes escritos hayan venido a remediar gran cosa. Me limito a señalar que se escribe y siempre se ha escrito desde una experimentada incomunicación y al encuentro de un oyente utópico. Ahora bien, el escritor apuesta por ese encuentro sin demasiada confianza, porque de sobra conoce los entorpecimientos con que una mercancía tan frágil como la palabra va a topar hasta conseguir llegar indemne a destino ya de por sí harto incierto; así que la dosis de deseo que le impulsa al envío tendrá que compensarla indispensablemente con otra igual de olvido acerca de estos entorpecimientos, porque si los tuviera presentes perennemente, lo más probable es que jamás decidiera coger la pluma, del mismo modo que nadie se metería a jugar a la lotería si en buena lógica se atuviera a estadísticas y cálculos de probabilidad.

Pero a eso es a lo que voy. ¿Quién tiene presente finalidad alguna cuando se lanza a un juego? Se habla luego de finalidades para justificarlo, pero sólo se juega porque ilusiona y divierte, porque aquel terreno supone riesgo y porque en él se prueban la emoción y la zozobra. Es el motivo de las empresas lúdicas, entre las que, desde luego, no vacilo en incluir la literatura, como fenómeno absolutamente gratuito que es, aunque hoy día se ponga tan terco empeño en embutirla dentro de los uniformes del deber y la obligatoriedad.

No se me oculta que estoy tocando un punto peliagudo al sacar a relucir un concepto tan teñido de proscripción y de matices peyorativos como es el de juego, y ya me parece oír los acentos escandalizados de quienes, esgrimiendo las tópicas salvedades de «literatura de evasión» y «literatura de compromiso», van a negar para muchos casos la licitud de mi afirmación, que mantengo, a pesar de todo, atribuyéndole una validez general: en cualquier caso de nuevo empeño literario, encontraremos juego en su raíz.

Y es que, aunque los hombres han querido jugar desde que el mundo es mundo y ninguna obra intelectual ha nacido sino en el ensayo de ejercitar la libertad individual, o sea al calor del gusto por opinar, por intervenir, por meter la propia baza, actualmente, sea en la coyuntura de la vida que sea, el reconocimiento de que no se obra por necesidad ni al dictado de imperativos sociales produce insuperable vergüenza, y la confesión de que uno escribe porque le divierte ha venido a tenerse por herética.

Lo cual es incontestable, sin embargo. El que se niegue emperradamente a reconocer que escribe porque le gusta, a lo mejor consigue a fuerza de tesón llegar a sentir de verdad su dedicación como una carga, pero yo en este caso sin vacilar le aconsejaría dejarla caer; y esto precisamente por respeto a los temas que hayan de tratarse, cuya integridad, eficacia y alcance social se resienten, sin duda, revelando más tarde o más temprano el despego y desgana del sujeto que los asumió por obligación. A la literatura no se le puede fingir afición porque no lo soporta. Exigirá todos los sacrificios de tiempo, de dinero y de bienestar material que quieran decantarse, pero no admite sacrificios de voluntad.

A través de las páginas de algunos libros inmortales (piénsese por ejemplo en *Don Quijote*, el alcance de cuyo testimonio social nadie creo que se atreva a poner en duda), el regodeo y goce de quien los escribió es casi palpable, llega a darnos envidia. Y aunque ésta es una condición necesaria pero no suficiente para la calidad de la obra, ya que muchas personas que gozan escribiendo lo hacen mal, sí parece cierto que nunca lo escrito sin personal deleite puede llegar a deleitar a nadie.

Se me dirá que el mundo no está necesitado de tales goces, que son un lujo y que otras medidas de reforma y mejoramiento son las que precisa. Eso ya es otra cosa y advierto que yo no estoy rompiendo lanza alguna en pro de los útiles servicios prestados por la literatura a la comunidad. Sólo digo que lo escrito desde el hastío y el deber, hastiará. Si el reino de la literatura está tocando a su fin (no son de mi incumbencia ahora estas predicciones) asistamos de una vez para siempre a sus funerales pero no intentemos prolongar artificialmente tal reinado, dando gato por liebre. Esos que dicen que para ellos escribir es como para el obrero levantar ladrillos, están ofendiendo no solamente a la verdad, sino sobre todo al obrero, quien, si hubiera conocido alguna vez el goce de ejercitar la libertad escribiendo lo que le viniera en gana, seguramente lo primero que haría sería protestar contra las falacias de quienes intentan comparar ese privilegiado ejercicio con trabajos verdaderamente obligatorios. Creo que lo tendría por el mayor insulto.

Otra de las razones invocadas por quienes auguran un próximo ocaso a la literatura es la que ya se contenía en el famoso axioma *nihil novum sub sole*, escepticismo que parecería bastante justo y coherente si no estuviera invalidado por la demostración del poco peso que ha tenido para todos los hombres nacidos después de que se formuló, los cuales han seguido escribiendo impertérritos. La aceptación de que uno es incapaz de inventar nada nuevo está reñida con la esperanza de renovación que es nuestra vida misma y gracias a la cual seguimos alentando contra viento y marea. Por eso hasta los hombres más lúcidos y más conscientes del hondón de ruina y olvido a que está destinado su pretendido descubrimiento de hoy no pueden resistir a la tentación, cuando aparece (¿y en nombre de qué iban a resistirla?), de echar su cuarto a espadas en el juego más consolador que se haya inventado nunca, y que ellos reinventan al emprenderlo. Desde un punto de vista lógico, ¿cómo iba a coger nunca la pluma quien entrase en una biblioteca pública, y se detuviese a considerar el alud de materias que se encierran en aquellos innumerables tomos? Sobradamente abrumadora sería la tarea de alcanzar a leer los más posibles para tratar de resumir, entender y poner de acuerdo las teorías formuladas por los demás.

Pero el escritor, aunque haya pensado esto muchas veces, aunque haya vislumbrado la vanidad de su aportación personal e incluso el aumento de caos que supone, escribe, a pesar de todo. No le basta con consumir, quiere crear, decir *lo suyo*, nuevo o viejo. Y cuanto más suyo lo haya hecho antes de decirlo, cuanto más lo grite desde su limitación y soledad, desde su subjetividad insatisfecha, más fuerza tendrá para atravesar un día esa muralla opresora que le sofoca. Piénsese en el mensaje social de los papeles inéditos de Kafka, que estaban destinados a la destrucción.

Todo lo que queda dicho no se refiere a la mentalidad y proyectos del escritor ante su obra terminada y publicada, en cuyo estadio surgen toda clase de justificaciones de intencionalidad. Me he venido refiriendo sólo al momento en que elige deliberadamente coger la pluma en lugar de elegir dejar de cogerla, pero es que es el único momento que importa, si bien se mira, porque sin esa decisión que materializa y convierte en obra escrita unos determinados anhelos personales, éstos nunca se habrían transformado ni salido de sí.

Pues bien, y es a lo que iba desde que empecé: en ese momento de romper a escribir que, por mucho que se haya desatendido, es el que cuenta, lo que en cambio no cuenta para nada es el público *real* que un día va a leer lo que quede dicho, ni nadie que sea medianamente sincero se atreverá a sostener que se acuerda para bien ni para mal del santo de su nombre.

«Piensa en el famoso *Eureka*» —me decía una vez el amigo a quien he escogido como interlocutor de estas consideraciones—. Hay un primer grito de alegría intransferible. En cuanto el viejo Arquímedes se sentó en la arena y al primer siciliano que pasaba por allí le detuvo con el brazo y le dijo: «Párate un momento y escucha», empezó la función social del descubrimiento, pero éste nunca habría tenido lugar sin el afán placentero de la búsqueda.

Me parece muy a propósito esta observación para cerrar las mías. El placer del aplauso y la esperanza por el progreso de la cultura, claro que existen, pero son harina de otro costal, algo que ya no tiene nada que ver con ese afán placentero que motivó el *Eureka* jubiloso de Arquímedes, circunscrito netamente a la alegría de la razón que ha encontrado en soledad la expresión que buscaba.

Revista de Occidente, septiembre de 1966

Un aviso: ha muerto Ignacio Aldecoa

Poco antes de caer fulminado por la muerte, de llegar a ese vertiginoso tránsito que lo convirtió de persona en cosa, Ignacio Aldecoa se miró con susto las manos y dijo a los amigos que estaban con él: «Esto es un aviso». Fueron casi sus últimas palabras. Parece que se refería a un hormigueo que sintió en los dedos. Era su premonición de muerte.

Tantas historias de bandoleros, de piratas, de gitanos, de toreros, de guardias civiles, de pescadores, de *gangsters*, de mozos muertos en riña, de guerrilleros; tantas como conocía, contaba, leía e imaginaba, tantas como escribió y se le quedaron por escribir, tantos poemas y canciones con aquella constante de la muerte que ronda al héroe pero que nunca se abate, con todo, sobre él, por muy veloz que caiga, sin dejarle ese angustioso respiro del aviso, esos instantes para que pueda volver los ojos a un paisaje, a un amigo; todas esas historias y canciones aunque estaban a punto de borrarse definitivamente del archivo de su memoria, tal vez tuvieron un postrer eco en ella todavía cuando supo en su carne que de verdad la muerte avisa y sintió estar conociendo brutalmente, como de un encontronazo, la premonición suya, la que a él le había venido designada. Quién sabe en qué tertulia de café, en las palabras de qué médico amigo, en qué revista o libro y sobre todo en qué día había detenido él la atención sobre este fenómeno del hormigueo de los dedos detallado sin duda en el texto o la voz que le informase ni en qué rincón de su mente repleta de noticias, proyectos y recuerdos hallaría cobijo desde entonces para ser albergado, mezclado en revoltijo —como en esos cajones de fármacos que no se determina uno a tirar— con otras nociones y recetas de medicina, posiblemente en zona no lejana de aquella en que diera cabida a relatos familiares de muertes repentinas, a imágenes de terror y de misterio, a su propia levadura literaria tocante a asuntos de muerte.

> *Cuatro disparos de alerta*
> *despertaron a Chicago.*
> *Larrigan rió su muerte*
> *mirando al cielo al soslayo;*
> *Larrigan cayó de espaldas*
> *junto a la puerta de un Banco.*

Estas cosas escribía Ignacio Aldecoa por los primeros años del cuarenta, cuando yo lo conocí en la Facultad de Letras de Salamanca. Nos gustaba mucho a los amigos de entonces, todos entre los diecisiete y los veinte años, esta historia del pistolero Larrigan y la recitábamos a voces mientras tomábamos el sol apoyados en la barandilla de piedra del palacio de Anaya, entre clase y clase, o cuando íbamos a remar en grupo al río. Eran versos que ni siquiera solía anotar en papeles, que nos traía de viva voz en sus fugaces y tan deseadas apariciones por clase, y en todos ellos apuntaba la vena narrativa, aquel irónico despego suyo de espectador, de cronista.

Los versos de los otros amigos —y todos escribíamos versos entonces— no los recitábamos en alta voz; eran versos de cuchicheo íntimo para ser leídos en casa. Hablaban preferentemente de congojas del ánimo, de preocupaciones metafísicas, y poco después vinieron a ver la luz en la primera revista donde yo colaboré asiduamente, *Trabajos y días*, revista provinciana hecha por universitarios a la que Ignacio no se asomó nunca. Tal vez se había ido ya de Salamanca cuando apareció el primer número; no me acuerdo, pero es lo mismo. Creo que no hubiera colaborado en ella de todas maneras, igual que nunca venía a las sesiones de teatro ni a las lecturas en los seminarios ni a las conferencias ni a nada de lo que oliese a cultura impuesta. Era su característica esencial desde los diecisiete años: aquel desprecio por la cultura masiva, por los estilos vigentes. Aunque posiblemente la palabra desprecio es inadecuada, o al menos conviene puntualizar que no se trataba de un desprecio ostentoso. Simplemente no le divertía, no jugaba a eso; él iba por libre.

No siendo para él, yo creo que para todos los demás la Universidad representaba entonces, en mayor o menor medida, un refugio sagrado y estábamos dentro de ella armoniosamente recogidos, como en un cenáculo que nos hermanaba. Ni siquiera nuestro compañero de curso, el zamorano Agustín García

37

Calvo, que con el tiempo ha venido a tomar posturas tan extremas con relación a los métodos de enseñanza al uso, consideraba la Universidad por aquellos años con distancia ni despego alguno; si le apuntaba ya alguna de sus peculiaridades de «oveja negra» era, con todo, oveja amamantada a los pechos de la Universidad, predilecta del exigente profesor Tovar desde el primer día.

Estoy hablando del curso 1943-1944, tan cerca aún del final de la guerra que con los primeros foxes lentos de Bonet de San Pedro, con el *Raska yu* y las coplas densas de argumento de Conchita Piquer, todavía se cantaba la Chaparrita. A Ignacio le gustaba mucho esta canción que yo sabía y sigo sabiendo de memoria, y él fue quien me dijo que esta Chaparrita que a mí me evocaba juegos infantiles había sido para los soldados que habían muerto en la reciente contienda nacional una especie de madrina de guerra mítica, personaje inexistente y a la vez totalmente real como la famosa Lilí Marlen para los alemanes. Y aunque me quedé un poco sorprendida de que me explicase estas cosas un muchacho solamente unos meses mayor que yo, su voz era convincente y seria como la de uno que hubiera estado soñando con la Chaparrita desde las trincheras, y por eso le presté absoluto crédito.

La guerra casi nadie la mentaba entonces, ni para bien ni para mal, si bien en nuestras casas resultaba este silencio de la pesadumbre por tantas catástrofes y del deseo de conjurarlas, mientras que allí en la

Facultad era poco o nada sintomático, un rasgo de inconsciencia propio de la edad que teníamos. No eran tiempos de politización como ahora sino de olvido. Éramos dieciséis alumnos en primero de comunes, recuerdo el nombre y rostro de todos, de muchos incluso su procedencia familiar y cosas que contaban de su infancia, dieciséis, parece mentira; cuatro mil se han matriculado en comunes este curso 1969-1970 en Barcelona.

Ya digo que Ignacio aparecía poco por clase, pero lo curioso es que tampoco le veíamos mucho fuera de ella. En una ocasión vino y nos arrastró a una pelea de bolas de nieve delante de la catedral, a los que queríamos hacer novillos como a los que no, razón por la cual durante mucho tiempo le he estado asociando a la impresión de fiesta que producen las nevadas; otra vez fui de espectadora a un partido de fútbol de aficionados que jugó por las eras. De cuando en cuando aparecía en el paseo de la una en la Plaza Mayor y se nos acercaba a otra amiga y a mí con conocidos suyos que nos presentaba, generalmente vascos y casi siempre de medicina, «chicos fuertes y guapos —como decía él— que es lo que necesitáis y no tantos gafitas».

Pero esta era solamente una pequeña muestra de su gama de amistades. Por ejemplo, iba bastante con hombres maduros e incluso viejos. Y con esto queda apuntada otra de sus características: la de que nunca se sintió determinado por las barreras exclusivas de su tiempo ni enclaustrado en generación alguna. Sentía una gran solidaridad y simpatía por la gente mayor, sobre todo si sabía conversar. Con el catedrático de Historia del Arte, don Ángel de Apraiz, que era de Vitoria como él y amigo de su padre, se le veía paseando con frecuencia y sentado en cafés de la Plaza, hablando y venga a hablar. Pero este señor, a quien yo supongo que el padre de Ignacio debía escribir alguna vez pidiéndole noticias del hijo, perdía su pista tantas veces como nosotros y nos preguntaba muchos días en clase que si alguno le había visto. No; cuando uno le había dejado de ver, los demás tampoco lo habían visto. Le echábamos de menos mucho, yo creo que sobre todo las chicas, y sus reapariciones eran algo muy alegre. En el casino, donde se bailaba los jueves y los domingos, no ponía los pies, a nadie llamó nunca por teléfono para pedirle unos apuntes o cosa por el estilo, no tenía parientes en Salamanca. ¿Dónde se metía? Y él se reía y hacía la comedia del hombre disipado y misterioso: había estado por ahí de crápula con gente fascinante y viciosa, con marqueses venidos a menos, con meretrices, con bufones, con ladrones de guante blanco perseguidos por la justicia, con tahúres, ralea que se oculta, animales de noche. Y sólo de tarde en tarde acababa hablándonos un poco de verdad de sus amigos no universitarios, una colección de gente que a nosotros apenas nos interesaba entonces, embebidos como estábamos en el descubrimiento de la cultura escrita, gente de carne y hueso, en cuya compañía se formaba y de la que sacaba savia para sus historias. Un detalle, por ejemplo: alguno de nosotros hubiera dado lo que no tenía por conocer a Saussure, otro a Rafael Alberti, otro, acaso, a aquella mujer joven que acababa de ganar el primer premio Nadal en Barcelona y que venía retratada en la portada de su novela sonriéndonos desde un mundo que, yo al menos, sentía como tan distante e inaccesible. Pues nada, Ignacio por lo que hubiera dado cualquier cosa es por hacer una gira a provincias con Rambal y ser amigo suyo. Para él la llegada de Rambal era lo más importante que pasaba en Salamanca, ni conciertos ni conferencias ni nada se le podía comparar, y se esforzaba por convencernos de ello a los demás. Fuimos juntos a verlo al Liceo en dos temporadas sucesivas y uno de los años a un palco a todas las funciones seguidas que dio, por este orden, si mal no recuerdo, *Genoveva de Brabante*, *José María el Tempranillo*, *El mártir del Calvario* y *Rebeca*, que, por cierto, a poco arde el teatro Liceo con el incendio final de Manderly, porque aquel Rambal se atrevía con todo. Casi todos los espectadores que llenaban el teatro acababan de llegar de pueblos del contorno, y algunas de aquellas mujeres con pañuelo a la cabeza en el momento cumbre de morir Jesucristo caían de rodillas, mientras Rambal desde la cruz desclavaba una mano y saludaba. Gente culta, o por mejor decir gente «bien» apenas venía a verlo. No era de buen gusto. Trabucazos, caballos piafantes, el fondo del mar con buzos, la última cena, un castillo en llamas; una espectacularidad tan variopinta, disparatada y exenta de pedantería entusiasmaban a Ignacio arrancándole con la risa, comentarios de entusiasmo y respeto por la increíble labor de aquel hombre que él consideraba un genio y que empezaba a estar marginado y superado incluso en provincias.

Aprobados los dos primeros cursos de comunes, a base de apretar un poco en mayo, Aldecoa desapareció de Salamanca. Como no había hecho capillita con nadie, no dejó amigos íntimos y perdimos su rastro. Yo no sabía —como sé ahora— que era el primer escritor con que me había topado en la vida, pero aquella preferencia suya por los temas del riesgo y de la gente que vive a cuerpo limpio, aquella distancia alegre para narrarlos me habían impresionado y, a veces cuando menos lo esperaba, se me venían a la cabeza su voz y sus palabras:

> *Larrigan, mi rubio amigo,*
> *el* gangster *de mejor mano,*
> *rey de la corte del hampa,*
> *dime: ¿por qué te mataron?*

Era una voz diferente de las demás. Nadie iba por ese registro de la épica, de los romances de ciego, de las canciones de corro. Y no me extrañó, pues, que no se citase nunca el nombre de Ignacio Aldecoa entre el de los poetas que prometían. Como no me extraña ahora tampoco. Él iba para prosista y en la corriente lírica imperante desafinaban completamente sus temas de inspiración y su estilo de vida.

Era el auge de la colección Adonais. Todos comprábamos libros de poesía, se los regalábamos a los amigos o los llevábamos en el bolsillo. Nadie que quisiera acreditarse como persona sensible o interesar a otra del sexo contrario dejaba de mostrar un libro de poesía o regalarlo. Pero, además, nos pasábamos unos a otros nuestros propios papelitos, practicando el famoso «si me lees te leo», porque raro era el estudiante de cualquier Facultad que, junto con una cultura poética no clásica ni mucho menos, sino actual, ceñida a unos pocos nombres de anteguerra y posguerra, no quisiera ser poeta él también y no tratase de echar su cuarto a espadas, su vaguedad, su lágrima en la general lamentación subjetiva, en el río inabarcable de aquellas composiciones sembradas con tanta frecuencia del vocativo «oh, Señor». Era una lírica presidida por el afán de buscar la verdad y la trascendencia buceando en recuerdos y emociones personales y yo creo que casi nadie más o menos tácitamente dejaba de tener a Dios por interlocutor definido.

El maestro de este estilo era un muchacho que estudiaba en Madrid, de cuyo triunfo como poeta jovencísimo pronto nos llegaron los ecos. Se llamaba José María Valverde, acababa de publicar, con un prólogo elogiosísimo de don Dámaso Alonso, su primer libro *Hombre de Dios* y poco después tuvimos ocasión de conocerlo porque vino, siendo aún estudiante de nuestra edad, a dar una conferencia a Salamanca. Aquello fue un verdadero acontecimiento, mucha gente tuvo que oír la conferencia de pie y todos queríamos hablar con él. Ahora, después de tantos años, pienso si este predicamento de la poesía entre los estudiantes por los años cuarenta no podría compararse con el entusiasmo que despierta hoy la llamada canción protesta; pues, aun haciendo las salvedades pertinentes ya que no recuerdo que nadie se abalanzase sobre José María Valverde para pedirle autógrafos, su persona y su visita estuvieron sin duda marcadas por cierto carisma de un matiz no muy diverso del que aureola a Raimon, por ejemplo, en sus apariciones ante los estudiantes avanzados de hoy.

Cuando a finales del año 1948 vine a Madrid para hacer mi doctorado de Románicas pude convencerme de algo que había atisbado desde la provincia, a causa sobre todo de que el propio José María Valverde, que se hizo muy amigo mío, me lo había dejado entrever en sus cartas: los poetas de Madrid formaban un gremio coherente, no andaban desperdigados unos de otros. Contribuía mucho a aglutinarlos un hecho al parecer anecdótico pero, a mi modo de ver, fundamental. Tenían un amigo mayor en torno al cual agruparse para hablar de poesía, una especie de padre de los poetas que, por la circunstancia de estar delicado y tener que hacer muchas horas de reposo, recibía con agrado a cualquier aficionado madrileño, barcelonés, provinciano o hispanoamericano que llamara a su puerta en busca de orientación y portador de originales. Yo también lo visité. Eran como las visitas a un pariente influyente y benévolo. Mirándolo allí sentado en el jardín de su chalé con la manta sobre las rodillas, escuchando su voz persuasiva y afable retiraba uno la impresión de estar perteneciendo ya un poco a la grey que él pastoreaba. Desde el vértice de un mundo estructurado ya, Vicente Aleixandre ponía en contacto a los poetas dispersos, les brindaba nombres de publicaciones, señas, noticias; era una especie de baluarte que había quedado en pie después de la guerra, depositario de la memoria de los desaparecidos y de la correspondencia de los ausentes; y los que iban surgiendo a él se reenganchaban. Me parece importante destacar esto: la poesía se reanudaba después de la guerra, tomaba el rumbo que fuera, pero se reanudaba.

¿Ocurría lo mismo con la prosa? Hay que decir que no. Yo misma, aun cuando me considerase informada de bastantes cosas, no tenía ni idea de lo que pasaba con la novela contemporánea, y los futuros prosistas, aquel grupo de amigos y coetáneos de Ignacio Aldecoa en que me vine a ver incorporada a mi llegada a Madrid, andaban como a tientas, partiendo de cero, hechos un puro tanteo, sin atreverse todavía a pasar del cuento —aun cuando ya Ignacio supiese muy bien por dónde se andaba en tal género— descubriendo por libre, por separado y las más de las veces, por casualidad a narradores acreditados en otros países. De la misma manera que a mi padre y no a la Universidad debo yo la lectura de Galdós, Clarín y Baroja, a Ignacio y a sus amigos les fui debiendo en años sucesivos el conocimiento de Truman Capote, Kafka, Steinbeck, Dos Passos, Sartre, Pavese, Hemingway, Melville, Conrad, Svevo y Camus, autores poco frecuentes en las librerías de entonces, hallazgos que alentaban y enviaban desde lejos inesperadas sugerencias.

Es bien sabido que Pío Baroja recibía a la camilla de su cuarto de estar a quien le quisiera ir a ver, pero a nadie que soñase con meterse a novelista creo que tales visitas le confortasen mucho. Dice Juan Benet, que cuando era estudiante fue a verlo con frecuencia, que no estaba al tanto de ninguna moda literaria ni solía enterarse siquiera de quiénes eran aquellos contertulios tan dispares y esporádicos que aparecían por su casa.

Y desde luego, el oficio de escritor a secas tardó bastante en tenerse de pie y alcanzar un mínimo de prestigio. Recuerdo todavía que en la boda de Aldecoa, por el año 1952, creo, su madre, al enterarse de que yo pensaba casarme con un amigo de él, me preguntó que qué era mi novio. Le dije que escritor, lo decía con cierta timidez, parecía un atributo muy desnudo. «¿También? ¡Ay, pobre!», se limitó a decir conmiseradamente.

En la novela de posguerra había habido dos brotes aislados y representativos: Cela y Carmen Laforet, estudiados hoy machaconamente por los alumnos extranjeros que vienen a España. Yo leí, aún en Salamanca, sus primeros libros, de 1942 y 1944 respectivamente, pero, aunque me gustaron, no ejercieron fuerza de magisterio sobre mis preferencias que, siguiendo la moda a que antes aludí de auscultar las propias emociones, derivaban hacia la poesía. Cultivaba la prosa, pero como no miraba de verdad alrededor mío ni hablaba con rigor de las cosas que tenía al alcance, era más bien prosa poética, sin validez propiamente narrativa, que sólo en los primeros años cincuenta, después de la creación de *Revista española*, logré alcanzar en parte.

Con una composición bastante lacrimosa me despedí de *Trabajos y días*, y de Salamanca en el año 1948, terminada mi licenciatura de Románicas, y no era muy diferente el tono del primer artículo que publiqué al llegar a Madrid en *La Hora*. Estaba la redacción de este periódico en Alcalá, 44, en ese local que conserva un gran yugo con sus flechas tapando casi la fachada. Ignacio y sus amigos tenían conocidos en aquel despacho y muchas veces caíamos por allí, ya que era sitio céntrico, a dejar algún recado a otros o a dar algún sablazo. Tanto esta revista como *Alférez* conservaban una retórica falangista, incluso en sus dibujos y están unidas a mis primeros recuerdos de Madrid. Mi artículo, que se titulaba «Vuestra prisa», trataba de desahogar la impresión de desarraigo que me había producido la gran urbe y era bastante pretencioso. Mis nuevos amigos, que no vacilaban en decir siempre lo que pensaban, se rieron un poco de él y me dijeron que no era para tanto. Pero cuando me dijeron esto, ya la sensación de desarraigo se me había aliviado mucho precisamente por el hecho de que me venían a buscar y me admitían con ellos.

Eran las personas que me había ido presentando Ignacio Aldecoa, del que me había olvidado casi por completo, a raíz de un jubiloso reencuentro que tuvimos en los pasillos de la ciudad universitaria, adonde yo había venido a hacer los cursillos del doctorado. En los pasillos primero, claro, porque él a clase seguía sin entrar mucho. Y acto seguido en una celebración en el bar, que me hizo faltar a todas mis clases de aquella mañana. Y así empezó todo. Yo traía una gran moral de estudio y muchos proyectos. Le dije el tema de mi tesis: los cancioneros gallegos del siglo XIII. Se extrañó mucho de que me hubiera remontado a tiempos tan brumosos. Él no había acabado la carrera. Y también sus amigos, Sastre, Ferlosio, Fernández Santos, Medardo Fraile, estaban atrasados o repetían curso, cosa que ni a él ni a los demás parecía preocuparles nada. Creo que casi ninguno acabó la carrera. Luego, en días, años y meses sucesivos fui conociendo a otros amigos y amigos de sus amigos, gente no universitaria, o de otros estudios, o de ninguno, gente de teatro, de periódico, de taberna, de café, de cine, pintores, algún poeta. La nota común de todos ellos era que parecían despreciar los proyectos y que les gustaba mucho contar cosas. Para qué voy a decir nombres. Casi todas las caras tan tristes que he visto el otro día en el cementerio las he conocido en épocas diferentes, pero a través de caminos que más o menos directamente llevan todos a Ignacio, el amigo más íntimo que me quedaba en Madrid, el que más ha influido en mi vida.

Y era entonces gente callejera, sobre todo gente que vivía al raso y al día, sin mucho entusiasmo por nada, pero alegres, dándose unos a otros aquella poca compañía de la conversación lenta y sosegada, con horas de tarde y noche por delante. Amigos a los que fui perdiendo la pista en etapas diferentes porque se adentraron, aunque con pereza, en aquel futuro que conjurábamos mediante una copla que solíamos cantar muchas veces cuando no teníamos dinero:

> Sentaíto en la escalera
> esperando el porvenir,
> pero el porvenir no llega.

Copla que ya no me acuerdo cuándo empecé a cantar con ellos con convicción, abandonados aquellos remordimientos de buena estudiante que piensa que pasear y beber vino y oír historias es estar perdiendo un poco el tiempo, rota aquella barrera de superioridad y pena con que al principio los miraba, a pesar de que me eran simpáticos. Andaba yo detrás de una beca del Consejo Superior de Investigaciones Científicas y todas las tardes iba a trabajar en mi tesis a la biblioteca de la calle Medinaceli. Pero se me fueron desbaratando los buenos propósitos, porque rara era la tarde que no aparecían Ignacio y otros amigos a buscarme para sacarme de allí, para lanzarme a la calle, que era su sitio, y que empezó a ser poco a poco también el mío. Venían hacia las siete o a veces antes, y todavía solía haber luz, no habían cerrado las oficinas y había que acompañar a alguno de los amigos que tenían que hacer alguna inconcreta diligencia que le daba pereza cumplir solo. También íbamos a reclutar a más gente y veíamos a ver el dinero que reuníamos entre todos, que solía ser poco. Qué poco hacía falta, de todas maneras. Para unos vasos de vino, los de aquella tarde. Pronto me acostumbré a considerar que aquella era mi gente en Madrid, a habitar el tiempo al ritmo que ellos lo habitaban, fui deponiendo mis reservas y remordimientos. Me enseñaron a mirar las cosas despacio, a interesarme por la gente, aprendí sus poesías y leí sus relatos.

Nunca bebíamos whisky, ni ginebra; siempre vino y café. En locales muy modestos y sobre todo sin televisión, que no existía. Había muchos por los alrededores de la calle de San Marcos, que es donde estaba la pensión de Ignacio, aquél era nuestro barrio, nuestra casbah, como la llamábamos, Augusto Figueroa, Libertad, Infantas. Por muchos de aquellos locales, hoy desaparecidos, donde no se bebía más que vino, a lo sumo con algunas aceitunas, vino y aceitunas que se dejaron a deber tantas veces, se fue quedando empantanada y hecha añicos mi vocación universitaria, dada de lado definitivamente. Allí, junto a mi amigo de la adolescencia, que recitaba siempre con broma alguno de sus sonetos al vino de *Todavía la vida*, que cantaba el corrido de Juan Charrasqueado o aquel tango de Gardel:

> *Fume, compadre, fume y charlemos,*
> *y mientras fuma recordaremos*
> *que con el humo de un cigarrillo,*
> *ay, se nos va la juventud.*

El amigo más antiguo que me quedaba en Madrid y cuya muerte ha entrado a saco como un viento despiadado en el arca de estos recuerdos que parecía aún temprano para revisar. Eran asuntos pendientes, cuentas sin ordenar; se sabía que les llegaría la hora de salir a relucir, pero daba miedo, y ahora hay que hacerles cara, cada uno desde donde podamos y como podamos.

Porque la muerte, ese hachazo fulminante que le hizo decir a Ignacio cuando la sintió abatirse sobre su cabeza: «Esto es un aviso», es también un manotazo de aviso que se ha desatado sobre nosotros, los amigos de su edad. Y creo que todos lo hemos entendido como tal.

Ha muerto Ignacio Aldecoa: los años cuarenta y cincuenta, lo queramos o no, empiezan a ser historia.

La Estafeta Literaria, noviembre de 1969

En el centenario de don Melchor de Macanaz (1670-1760)

Mis relaciones con Macanaz se iniciaron hace exactamente ocho años. Su nombre, ya entonces, no me resultaba completamente desconocido, pero lo tenía relegado a esos confusos desvanes donde ha ido amontonando la memoria toda suerte de nombres y de rostros que se oyeron o vieron un día fugazmente, quién sabe, en el café, en casa de alguien, durante algún viaje, imágenes descabaladas, irrelevantes, sin clasificar. Pensé: «¿De qué me suena?», y recuerdo que tuve que interrumpir la lectura que me lo había traído nuevamente a colación, porque el mosconeo de aquella tácita pregunta llegó a producirme un malestar que me impedía seguir leyendo. Hasta que, por fin, me acordé. Claro, ya estaba, cómo no se me habría ocurrido antes: don Marcelino. En su *Historia de los heterodoxos españoles* están todos los sospechosos, no se le ha escapado ni uno. De ese libro exhaustivo había pasado el nombre de Macanaz a mi memoria, y allí yacía revuelto con el de los demás heterodoxos de todos los tiempos, engrosando la lista minuciosa de aquellos condenados a quienes el autor fulmina con sus diatribas implacables, encendidas de celo, cargadas de razón; aquel nombre me sonaba a epitafio, un epitafio sin relieve entre cientos de epitafios.

Ahora, en cambio, en mi primer encuentro propiamente dicho con Macanaz, me nacía, a través del nuevo libro que había caído en mis manos, un interés deliberado y concreto hacia la persona de aquel burgués de Hellín, nacido en 1670, hijo del regidor de la villa, estudiante de leyes en Salamanca por los últimos años del siglo XVII, pasando estrecheces, pululando, poco después, entre los jurisconsultos deseosos de abrirse camino en la corte y de incorporarse a las tareas gubernamentales que en las postrimerías del reinado de Carlos II andaban tan a la deriva, y definitivamente vinculado a ellas al advenimiento de la nueva dinastía mediante el nombramiento de fiscal del Consejo de Castilla con que premió Felipe V su lealtad a la causa borbónica y sus méritos de jurista, favor, por cierto, a que él correspondió con una constante fidelidad a los Borbones, tan duradera como su larga vida. Pero este encumbramiento, fulminante y breve, se remató y expió con una larga etapa de desgracia. Desde 1715, fecha en que —a la vista del sesgo que tomaban las cosas después de las nuevas nupcias del rey— Macanaz creyó oportuno exilarse, hasta 1760, fecha de su muerte, tuvo abierto un proceso que le siguió la Inquisición y que arruinó para siempre su carrera y su fama, sin que Felipe V se atreviera a tomar ninguna medida definitiva en favor y defensa de quien, precisamente por defender apasionadamente sus derechos, había topado con el Santo Oficio. Dejé de leer; estaba yo por entonces enterada más bien superficialmente de la historia de

España, y precisamente para ir cubriendo lagunas había iniciado, como simple aficionada, una serie de lecturas sobre el siglo xviii. Aquellas noticias me producían mucha perplejidad. ¿Podía ser? ¿La Inquisición no era un tribunal que dependía de los reyes? ¿Qué les impedía mandar en él? De aquel relato se desprendía que Felipe V era partidario de las medidas tomadas por Macanaz en el desempeño de su breve ministerio, que incluso se las había sugerido él. ¿Pues por qué no lo sostuvo cuando cayó en desgracia con la Inquisición? ¿Hasta qué punto dependía este tribunal del control del rey y hasta qué punto le infundía miedo? Pero, además de este tropel de preguntas, que en ese mismo momento empezaron a rondarme y que he tardado tantos años en aclarar, otra consideración mucho más elemental daba un aldabonazo a mi atención, despertándome un primer conato de afecto hacia aquel pobre jurista provinciano a quien hacían purgar su fidelidad con la desgracia, y era la consideración de lo que había durado tal desgracia: exactamente la mitad de su vida. Había echado la cuenta, mirando al techo, como es mi costumbre, y el resultado del cálculo era aquél, en efecto. Cuarenta y cinco años tenía Macanaz cuando, en 1715, salió de España seguro de que el rey le respaldaba y de que ello había de ser garantía más que suficiente para poder volver a los pocos meses rehabilitado en su fama. Otros cuarenta y cinco justos y cabales habrían de transcurrir hasta que Carlos III, el primer rey que ya al subir al trono español venía acostumbrado

55

a mandar y a saber lo que mandaba, diese, entre las primeras órdenes con que inició su reinado y que le honran, la de que fuera sacado de una mazmorra de La Coruña (donde, por mandato de Fernando VI, se pudría desde 1748) aquel nonagenario don Melchor de Macanaz, oscuro precursor de los ministros ilustrados que ya por entonces estaban bullendo, y el cual pudo así, en virtud de esta última y elemental clemencia, cruzar la Península de un extremo a otro para entregar su alma en el pueblo que le vio abrir los ojos, tan fatigados, ya que apenas si le servían para distinguir los bultos. Llegado a Hellín, falleció, en efecto, pocos meses después, el 5 de diciembre de 1760, sin el consuelo de ver sobreseído su proceso. Todo esto, más o menos, contaba en aquel libro, sumariamente, antes de pasar a otras cuestiones. ¿Podría ser verdad? Recuerdo que era una tarde de otoño y que estaba sentada, como hoy, en un pupitre de la biblioteca del Ateneo. «Son cosas que han pasado hace tanto tiempo —decía en mi subconsciente esa voz que siempre tiende a zanjar las cuestiones espinosas y a desanimarnos de hurgar en ellas más profundamente—. Cualquiera sabe si sería del todo verdad o en parte mentira. Injusticias siempre las ha habido, y, al fin y al cabo, para una información de lo que le pasó a Macanaz tienes más que de sobra. Si quisiera uno enterarse con detalle de la historia de cada uno de los españoles perseguidos por hache o por be, no acabaríamos nunca. No te calientes más la cabeza; déjalo, sigue leyendo.» Pero no podía

56

seguir leyendo. Me había quedado mirando fijamente a la claraboya de cristales un poco sucios que forman el techo de esta sala y donde mis ojos han buscado posada tantas veces en las pausas o en los nudos de mis lecturas. Es la misma claraboya que estoy mirando ahora, y el libro que tenía aquel día abierto sobre el pupitre, hoy lo he vuelto a pedir, como si quisiera conmemorar el centenario de Macanaz evocando el primer encuentro que tuve con él. Es la *Historia del reinado de Carlos III*, de un académico del siglo XIX, don Antonio Ferrer del Río. En la introducción, al pasar revista a los precursores del pensamiento ilustrado, es donde habla de Macanaz, dos generaciones anterior a Floridablanca, Aranda y Campomanes, y dice que fue un agente decisivo para roturar el camino que había de facilitar la futura labor de estos ministros, aun cuando sus empeños, que pagó tan caros, quedaran ignorados para la posteridad, sepultados bajo la tierra que la Inquisición echara sobre su causa. «Tan injusta causa —concluye textualmente— no pasó de los principios ni llegó a sobreseimiento, ni fue otra cosa que un trampantojo para que aquel ilustre varón no se rehabilitara nunca, pues la Inquisición española, fomentando las delaciones y dando asenso a las sospechas vagas, procuró siempre inutilizar a las personas de más valía, todo por mantener la prepotencia.» Aun cuando este estilo ampuloso y decimonónico aconseje poner en tela de juicio la objetividad de aquellas afirmaciones, las incógnitas que el autor dejaba planteadas, en pie seguían. Miré la fecha de impresión del libro: 1856. «Bueno —pensé—, ya ha pasado más de un siglo desde que Ferrer del Río lanzara este cebo a los estudiosos; seguro que, al cabo de tanto tiempo, tienen que haberse publicado varios trabajos que aclaren el asunto de Macanaz. Ya buscaré bibliografía.» Y, por aquel día, pasó así la cosa. Pero mi interés por acercarme a conocer más de cerca a aquel hombre quedaba claramente determinado.

Si uno pensase en los insospechados berenjenales donde nos acaba metiendo casi siempre nuestra curiosidad por las personas y se conservase alerta de una vez para otra el miedo a las múltiples complicaciones que suelen derivarse de nuestro trato con los demás, posiblemente cerraríamos la puerta a todo nuevo conocimiento y casi estoy por decir que llegaríamos a no salir más de casa. Pero, afortunadamente, cuando surge de nuevo el interés por conocer a alguien, y más si se trata de persona enigmática o contradictoria, se atiende tan sólo a satisfacer la curiosidad en ciernes, y el nuevo aliciente que ello significa hace más fuerza en nuestro ánimo que los posibles recelos. Lo que yo no calculaba es que con los muertos ocurre exactamente igual que con los vivos.

No encontré bibliografía directa sobre Macanaz. No existía. Un amigo, interesado en asuntos del siglo XVIII, me aconsejó que leyese relaciones del tiempo, porque las versiones de los contemporáneos de Macanaz, enterados sin duda alguna de su caso, podrían darme pistas valederas. Me pareció buena idea. No tenía yo, por entonces, ningún trabajo definido entre manos y estaba un poco decepcionada de la literatura que me había dejado, no sé por qué, de interesar. Todas las historias de ficción que leía o intentaba escribir me parecían repetidas, me aburrían. Contrastando con aquella saturación, la idea de asomarme a la vida de un personaje que se había paseado de verdad por la calle de Atocha, y al mismo tiempo estaba tan olvidado e inédito, me producía una emoción secreta y reconfortante. Me gustaba sobre todo que nadie me lo hubiera presentado ni recomendado, que el interés hubiera surgido mediante un encuentro personal. Empecé por dos buenos historiadores españoles del reinado de Felipe V, poco conocidos: el marqués de San Felipe y el padre Belando, ambos contemporáneos de Macanaz y que, efectivamente, hablaban bastante de él. Pero la primera complicación se configuró en seguida. Aunque hablaban de él, hablaban también de otras muchas cosas que yo no sabía y que allí quedaban explicadas solamente a medias, cuando no apenas sugeridas. Tardé mucho en leer aquellos libros, que, como es natural, me remitieron a otros. No voy a reproducir semejante itinerario que ni recuerdo con exactitud ni a nadie interesaría. El caso es que, al cabo de un año, me vi metida en una maraña cada vez más apasionante y difícil de desentrañar. Mi interés por Macanaz no había disminuido, sino todo lo contrario, pero sabía, además, que enterarme aisladamente de lo que le había pasado a él era imposible, que no valía de nada si no entendía al mismo tiempo, con algún pormenor, lo que estaba pasando en la economía, en las costumbres y en el gobierno de España al advenimiento de la dinastía borbónica, si no me asomaba, por lo tanto, también un poco a la vida de determinados nobles, economistas, confesores, obispos, militares e inquisidores cuyos nombres salían siempre enredados con el de Macanaz; vidas de gente que él me iba presentando: el papa Clemente XI, la princesa de los Ursinos, el cardenal Del Giudice, el marqués de Villena, Julio Alberoni, las dos esposas sucesivas del rey y sobre todo el propio rey Felipe V, cuyas alteraciones de humor condicionaban el sesgo de toda la política española. Comprendí que, también en esto, ocurre con los muertos como con los vivos, que es vicioso interesarse solamente por una persona en la vida, cerrándose a otras amistades, y que una historia particular, sin referirla a sus continuas interferencias con las de los demás, ni se entiende ni significa nada en absoluto. Pero estaba asustada. Tenía que enterarme de tantas cosas que no sabía si seguir o pararme. Me daba cuenta del riesgo que corría de perder pie.

Empecé a hablarles de Macanaz a mis amigos. Creo que, en el fondo, me movía al hacerlo la secreta esperanza de que alguien, si no una orientación para aquella pesquisa, me diese, al menos, ánimos para mantenerme en ella, aguantando sus etapas de punto muerto. Aquel asunto pendiente había llegado a convertirse, de hecho, en mi obsesión fundamental, me intranquilizaba y no me dejaba ocuparme de otra cosa. «Macanaz es un muerto que no tiene buitre —me aseguró un día otro amigo que está muy al tanto de la bibliografía reciente—. Te puedes dedicar a él a fondo y con total libertad. No se ha atrevido nunca nadie con ese muerto. No sé por qué habrá sido.» Aquella frase me picó el amor propio y, sobre todo, me hizo comprender que tenía que tomar alguna determinación. Ya llevaba demasiado tiempo metida en unas relaciones que no pasaban de ser superficiales, que no rebasaban el tira y afloja; más de un año rondando aquella vida, pero sin quererme dejar comprometer por ella, sin permitir que incidiera por entero en la mía. Había llegado el momento de elegir entre coger el toro por los cuernos o abandonar.

A los pocos días (creo que era a principios del año 1964), llevé a cabo los papeleos precisos y, sin encomendarme a Dios ni al diablo, me hice socia del Archivo Histórico Nacional, que está en lo alto de la calle de Serrano. Recuerdo el encogimiento con que entré por primera vez en aquel local silencioso y amplio, de cómo levantaron los ojos de sus respectivos cartapacios los seis o siete investigadores diseminados por las mesas. Yo no había manejado legajos en toda mi vida ni tenía la menor idea de cómo se trabaja en un archivo; soy licenciada en Filología románica y mis intereses habían ido siempre por el ramo de la literatura. Pero pensaba que aquello era un incidente pasajero, que es posible meterse en un archivo y luego salir de él cuando se quiere, que uno mismo y nadie más es quien elige y acota lo que va a ir viendo allí, quien lo busca y manda en ello. O, para ser más exactos, ni siquiera pensaba deliberadamente en esto, aunque lo diese por supuesto. Lo único que sabía es que tenía muchas ganas de ver la letra de Macanaz.

Hay que reconocer que, en cuanto a satisfacer este deseo, «mi muerto» —como lo empecé a llamar— me dio cumplidamente por el gusto. Tanto en aquel archivo como en los demás que visité a lo largo de cinco años, su caligrafía que ha llegado a serme tan familiar y reconocible como la de mis mejores amigos, esa letra suya menuda, rápida y enmarañada de bucles, dispuesta en renglones algo torcidos y muy cercanos los unos de los otros, me salió al paso generosamente. Estaba deseando salirle al paso a alguien, eso se notaba en seguida, harta de olvido y sueño. Era un sueño evidentemente forzado el que habían dormido en las secretarías de Estado, en los despachos del Santo Oficio y en carpetas privadas aquellos rimeros de cartas, memoriales, avisos y apuntes del puño y letra de Macanaz, que la marea del tiempo había terminado depositando al azar en estos postreros estantes de donde un empleado con guardapolvo los sacaba para traérmelos a la mesa un ratito. ¡Cuánto escribió en su vida don Melchor de Macanaz! Cartas y más cartas a ministros en candelero, a purpurados romanos, a amigos perdidos, a confesores del rey y de la reina, a hermanos y sobrinos que dejó en la provincia o en Madrid, cartas farragosas y justificatorias desde distintos tiempos y países, recalcando las razones que le habían asistido para obrar de una determinada manera, echando mano de todas sus triquiñuelas de jurista para abogar por una causa que, desaparecido él de la escena política española, amenazaba con naufragar en el olvido. Y también cartas de antes de caer en desgracia, porque incluso cuando podía brujulear por las antesalas de Palacio y codearse con los ministros aprovechaba la más leve ocasión para encerrarse en su casa y ponerse a escribir a unos y a otros, de prisa, a vuela pluma y —conviene dejarlo sentado de antemano— bastante mal. Eso era lo raro, que a mí, que ni entiendo nada de cuestiones jurídicas ni aguanto a los escritores mediocres, me hubiesen cautivado las retahílas de aquel grafómano de pluma descuidada. Pero era así. A medida que iba vislumbrando debilidades y claroscuros en su carácter, me aficionaba más a él. Continuamente tenía que rectificar mis opiniones provisionales acerca de su personalidad, era como un dibujo a punto de perfilarse, pero que inmediatamente se desenfocaba y diluía. Empezaba a sospechar, por ejemplo, que era mentiroso, egocéntrico, ambicioso, incapaz de ponderación, excesivo en todo, y al lado de esto fiel, generoso, sobrio, paciente, modesto. Como personaje de transición entre el barroco y el siglo de las luces, participó de todos los resabios de la España de finales del XVII, tanto como de los afanes renovadores impuestos por la centuria siguiente. Me atraen las personas inclasificables; nunca me ha gustado zanjar las complejidades de nadie allanándolas mediante ese expediente tan barato de colgarle a cada cual una etiqueta irreversible y fija a la primera ojeada. Pocos tratos podían ser más estimulantes a este respecto que el de aquel polivalente Macanaz, que ya tenía treinta años a la llegada del primer Borbón y que, dada su longevidad, había de alcanzar la llegada del tercero. Pero confieso que a veces me desesperaba y que empecé a comprender que hubiese puesto en fuga a los investigadores. Sus relatos me recordaban esas historias inacabables contadas por viejos o borrachos que no solamente empiezan por donde quiera, sin parar mientes en la ignorancia en que está el interlocutor de todo lo acaecido anteriormente, sino que además van variando según avanzan, porque al hablante se le quiebra el hilo de la memoria y va inventado cosas que borran e invalidan otras que dijo antes. Macanaz contaba los mismos asuntos de una forma distinta según a quien se estuviera dirigiendo, pero esto tardé en darme cuenta de que era intencionado, pues se trataba generalmente de variaciones tan leves que más bien hacían pensar que era uno mismo quien había escuchado mal. Este caos en que me iban metiendo sus noticias se veía aumentado por el desajuste cronológico que existía entre la fecha de los papeles y el orden de coexistencia en el legajo consultado, de tal manera que de muchas cosas ocurridas más tarde me enteraba antes. Y, sin embargo, a pesar de que no siempre entendiese bien a qué se estaba refiriendo ni si tenían o no actualidad aquellos asuntos que le hacían expresarse con tanta alteración y urgencia, una cosa quedaba clara: él era capaz de contagiarme su pasión, de hacerme compartir la indignación que sentía: no se había secado su protesta al cabo de dos siglos y medio. Me impresionaba notar que, con razón o sin ella, seguía clamando Macanaz, que rompía a clamar apenas se le quitaban las cintas y los cartones a aquel legajo que envolvía sus papeles, era un clamor a voz en cuello, el que se levantaba inmediatamente de aquella escritura chiquita y enredosa que parecía alargar hacia mí sus trazos color de sangre, como brazos de un ahogado que pidiera socorro. Luego daba la hora de cerrar la sala de lectura, el empleado volvía a atar el legajo y yo me volvía a casa. A veces, si la pausa entre una de mis visitas al archivo y la siguiente era demasiado larga, me asaltaba de pronto, en medio de mis quehaceres cotidianos, un sentimiento de mala conciencia. Los sucesivos problemas de mi vida, de la de mis amigos, de la actualidad mundial, del tráfico urbano habían llovido sobre el proceso de Macanaz, de la misma manera que llovieron sobre la conciencia de Felipe V tantas nuevas preocupaciones como, a partir de 1715, le hicieron olvidarse de su ministro más fiel. Me daba cuenta de que habían pasado los días e incluso las semanas desde la última vez que estuve a verlo y que lo dejé con la palabra en la boca. Aquellas fundas de cartón y aquellas cintas descoloridas habían sofocado y amordazado nuevamente su palabra terca que no se resignaba a predicar en desierto, dispuesta a revivir en cuanto le dieran pie: otra vez estaba enchiquerado, alineado en una estantería. ¿Iba a ser aquélla su sepultura definitiva? ¿Lo iba yo a consentir? Y, de mejor o peor gana, acudía de nuevo a desatarlo, a escucharlo, y durante meses y meses a no enterarme de casi nada.

Mi primer viaje a Simancas, en la primavera del año 1966, fue un acontecimiento decisivo para afianzar nuestras relaciones, que, coincidiendo con desánimos y cansancios personales míos, amenazaban ruptura. Precisamente había decidido aquel viaje con el doble objetivo de descansar en un pueblo solitario y de ponerme una última prueba para saber de una vez si, a mi regreso, tenía que tirar o no a la lumbre aquel puñado de apuntes desordenados acerca de un proceso que me aburría.

En Simancas se guarda casi toda la correspondencia de Macanaz desde el destierro. Encontrármela, en paquetes tan generosos, fue como hallar, cuando se está haciendo un *puzzle* muy difícil, del que sólo se tienen los bordes, esas piezas clave del centro que, combinadas, dan la cabeza del gatito o de la gitana comiendo uvas. Las piezas para el borde de mi *puzzle* las había encontrado ya en Madrid, aun cuando aún no las hubiera sabido enlazar todas convenientemente. Eran los edictos, papeles personales, interrogatorios, delaciones espontáneas y cartas que a lo largo de cuarenta y cinco años había logrado recoger la Inquisición como pruebas de la culpabilidad del acusado. También aparecían algunas cartas suyas desde el exilio, pero estrictamente las que deliberadamente se añadían al proceso como nuevos cargos contra él como reo.

En Simancas conocí directamente a este reo del que tanto sabía ya, lo conocí en su exilio, en su vejez. Ya sabía que había pasado hambre y calamidades, que luego Fernando VI, después del congreso de Breda, lo mandó encarcelar, que se encontró muy solo y había llegado a tener la mente un poco perturbada, conocía los nombres de las ciudades donde vivió en el extranjero. Pero ahora lo conocía allí, en esos sitios, le sentía envejecer, agarrado a su tozudez oratoria, atrincherado en sus ideas fijas, percibía su ruina progresiva, el deterioro gradual de su letra, su desvinculación con la realidad, me daba cuenta —y él no— de que en Madrid su nombre ya no era más que una reliquia del pasado. Y me conmovía su terquedad. Mientras en un guardamuebles de Madrid se amontonaban sus libros, ropas, joyas, enseres y cuadros, requisados por la Inquisición en 1715 y sometidos desde entonces al estrago de la humedad, el tiempo y la polilla, inventariados meticulosamente cada diez años para ver lo que se había echado a perder y lo que no, él imploraba a la corte de Madrid un mínimo socorro pecuniario para seguir representando dignamente a su rey, de quien nunca dejó de considerarse ministro, pedía dinero sobre todo para papel, tinta, gacetas y portes, porque dejar de escribir a Madrid no podía. En una ocasión llegó a mandar tres cartas larguísimas con la misma fecha, y en las dos últimas confiesa sucesivamente que, recién entregada al correo la anterior, se ha acordado de cosas que dejó por decir y que siente necesidad de aclarar y puntualizar. No sabía él que, al margen de casi todas estas cartas suyas aparece, generalmente de puño y letra del confesor del rey, una nota brevísima y desganada que indica que no habían sido siquiera leídas. Esta nota suele ser textualmente: «No contestar a Macanaz». Porque, de hecho, no le contestaban casi nunca, pero él no lo tenía en cuenta, ni siquiera parecía querer entenderlo. Entenderlo hubiera sido un primer paso para aceptarlo. Y él nunca aceptó lo que le había pasado.

Absolutamente incapacitado para plegarse a la realidad, se negó a tener en cuenta las variaciones que el panorama político había introducido en Madrid desde que él faltaba de allí, siguió dirigiéndose a las personas tal como eran cuando él las había dejado y no perdió la esperanza de reavivar en ellas —o en las que iban sustituyéndolas en sus cargos— el recuerdo de la enorme injusticia que con él se había cometido, injusticia que era, de rechazo, un atentado contra las regalías y derechos de la corona. Su *Memorial de los 55 párrafos*, origen fundamental de su choque con la Inquisición, había sido en el año 1713 el primer intento serio de remover una serie de rutinas, amparándose en las cuales venía el Santo Oficio minando de antiguo el poder real y extendiendo sus prerrogativas a materias que no eran de incumbencia religiosa. El hecho de que Felipe V, que había empezado animándolo en su labor innovadora, lo hubiese luego dejado caer, Macanaz no lo veía tanto como una ingratitud para con él cuanto como ceguera, debilidad y retroceso en la postura enérgica que un rey del XVIII debía tomar para zanjar competencias con la Iglesia. A lo largo de decenios, sus prolijos avisos y consejos, desde Pau, desde Lieja, desde París, desde Cambray, desde Soissons, desde Breda y más tarde desde la prisión de La Coruña habían de constituir un azote para la corte de Madrid, que recibía aquellas cantinelas como si fueran los ayes de un fantasma de que hubiera preferido olvidarse. Sin desánimo ni interrupción, sin importarle que le contestaran o le dejaran de contestar, Macanaz continuaba escribiendo y empeorando con su machaconería totalmente impolítica, su situación frente a la Inquisición, enterada al detalle por medio de los confesores reales de las diatribas de esta correspondencia.

En una de aquellas cartas demenciales y obsesivas de su vejez, escrita en París, me parece, Macanaz, una mañana, me habló por primera vez directamente. Estaba yo leyendo la carta con cierta desgana porque venía repitiendo lo mismo, que la política de contemporización con la Santa Sede no había hecho más que torcer el derrotero tomado por los negocios bajo su ministerio, que había que mantener a raya a la Inquisición, en fin, el machaconeo de siempre pero más deshilvanado, y en una letra tenue y evaporada, temblorosa, quién sabe si dirigida por un puño agarrotado de frío. De pronto el hilo del discurso se le fue por completo y tuvo una ráfaga de lucidez, se quedó mirando al futuro de sus papeles, tuvo miedo a la caducidad de cuanto estaba diciendo, miedo de estar hablando en el vacío, para nadie. Era la primera vez que yo lo veía así, y me sobrecogió. Le vi asomar la cabeza, sacarla fuera de aquellos montajes con que se había venido defendiendo, y mirar hacia el futuro, mirarme a mí, a quién si no. Entonces fue cuando me dijo que acaso aquello que venía escribiendo con tanta urgencia no lo iba a recoger nunca nadie, que aquellas líneas se iban a quedar para siempre sin destinatario, me lo decía como para que se lo desmintiese. Era una mañana de sol. Recuerdo que durante mucho rato, a través de la ventana del castillo donde también Macanaz en sus años de auge había estado revolviendo papeles muchas veces, me quedé mirando fijamente el campo de la provincia de Valladolid, concretamente un cerro bajito que se dibuja a la derecha y al cual luego subí algunas tardes. En aquel momento juré fidelidad a «mi muerto» con la misma seriedad con que podía habérsela jurado delante de un altar, supe que sólo me tenía a mí y que yo, desde luego, no le fallaría. Aquella carta arrugada y pequeñita, sin noticias interesantes de ningún tipo, obsesiva y absurda, perdida entre el denso hojaldre de otras iguales en el corazón de un legajo voluminoso y abrumador estaba dirigida a mí, por el simple hecho de que jamás la habría leído nadie. También yo hubiera podido no toparme con ella o haberla empezado sin terminarla, sin llegar a aquella frase que me estaba destinada; en esta vida todo es casual, de acuerdo, pero el caso es que la leí y que significó mi vinculación definitiva con Macanaz. De tal manera, pues, que su sospecha de estar desangrándose en papeles inútiles, aquel sentir quebrada momentáneamente su razón de existir, aquella ráfaga de miedo a dejar de perdurar, fueron factores mucho más influyentes para mi compromiso que el peso de tantas retahílas cargadas de razón y cuajadas a diestro y siniestro de citas que apoyaban y daban solidez a su criterio.

Desde aquel día entré de la mano de Macanaz en su vejez, me desarmé de recelos e impaciencias, decidí dejarme llevar por las ramas de aquella historia sin pensar si iba a tener final o no, me metí de hoz y coz en la forma y ritmo con que él me la fue contando. Y de este modo, a medida que me iba entregando él la memoria de sus cosas y me sentía erigida cada vez más fatalmente en su testamentario, me iba acostumbrando a verlo desenfocado, alejado de la precisión y la univocidad y se configuraba así la amistad que tuvimos en sus últimos años, ese tomarnos uno a otro como éramos, yo ignorante, él confuso, una amistad sedante y balsámica como las que se contraen a veces en ciertos viajes o en establecimientos balnearios. Nos hicimos un bien mutuo. Su trato me sacó de la prisa, y de muchas melancolías y agobios personales, aparte de los viajes que me llevó a emprender y las personas, vivas y muertas, que con ocasión suya conocí.

En 1969, y como resultado final de estas complicadas relaciones con Macanaz, de las que he intentado hacer breve resumen, di los últimos toques a mi libro *El proceso de Macanaz* (Madrid, 1970), de 390 páginas, donde quedan mejor explicadas las cosas, para el que quiera tener más cumplida noticia de mi viejo amigo.

Terminaré diciendo que cuando el estudioso ve, por una parte, la realidad histórica de España desde 1715 a 1769 tal como se la cuentan los relatos más objetivos que puedan existir, y la confronta, por otra, con la visión que de esta misma realidad se empeñaba en tener y seguir teniendo Macanaz, no sabe cuál de las dos versiones elegir, porque, dada —hasta un punto increíble— la circunstancialidad de los acontecimientos que iban teniendo lugar en la corte de Madrid, no puede por menos de verlos tan accesorios y fantasmales como los proyectos que bullían —ésos al menos de un modo decidido— en la cabeza del viejo y desquiciado ministro hellinense cuyo tricentenario se ha celebrado este año.

Revista de Occidente, enero de 1971

Tres siglos de quejas de los españoles sobre los españoles

Ponerse a hablar del carácter y los defectos de los españoles es una pretensión que ya en sí misma entraña el tópico. Se sabe casi ce por be lo que va a salir a relucir, pero complace imaginar, por otra parte, las inflexiones y variantes —no por sutiles menos inagotables— a que el tema puede dar lugar; y así, movidos por ese aliciente, apenas detectamos taxista, limpiabotas, compañero de tren o de café dispuesto a darnos la réplica en esta salmodia pegadiza que nos venimos cantando los españoles unos a otros como para acunarnos de tres siglos y pico a esta parte, recogemos en seguida la señal de su buena disposición y humedecemos los labios con ese particular regodeo inherente a la iniciación de cualquier juego que puede cundir mucho y para el que se sabe uno con naipes en la mano.

Hablar los españoles entre sí de los españoles es, en efecto, el juego nacional por excelencia, mucho más que el mus o el dominó. Un juego, eso sí, en el que ya se entra a sabiendas de que no tiene designio ni conclusión posibles, de que nadie gana y la partida queda siempre en tablas, rematada a lo sumo por rúbricas dialécticas como: «Si es que no puede ser», «Si somos incorregibles», «Si nos tenemos más que merecido todo lo que nos pasa», «Si no conocemos el civismo», «Sí, dígame usted qué se le va a pedir a un pueblo de pastores», diferentes fórmulas de una riquísima gama cuyo particular énfasis, entre enconado y altanero, las hace lo suficientemente familiares al oído del otro jugador como para que le suenen a una especie de «apaga y vámonos», a aviso de que el juego ha quedado agotado, desbaratado ya por aquel día.

No son, en el fondo, tan típicos de los españoles los males de que adolecen como su capacidad para hablar de ellos a fondo perdido y sintiéndolos sin remedio, con esa complacencia en «hacer trofeos de la propia miseria» de que ya hablaba aquel jesuita renegado de Gracián.

Y, ya que he hablado antes de tres siglos y pico, no estaría de más recordar que Baltasar Gracián murió en 1658, precisamente un año antes de firmarse la paz de los Pirineos, mera ratificación de los acuerdos tomados en Westfalia en 1648. Era ya tiempo de dejarse de falacias e ilusiones. La fe en su destino de pueblo elegido que había arrastrado a los españoles a tan desatentadas e increíbles hazañas, si bien desde principios del XVII ya venía mostrando síntomas de crisis, se hizo añicos irremisiblemente en Westfalia, donde quedaba reconocida sin paliativos la ruina de unos ideales en cuyo nombre el país había agotado todas sus reservas. ¿A qué seguir fingiendo ni para quién? En 1645, unos días antes de morir, Quevedo había escrito a un amigo suyo estas desalentadoras y famosas palabras: «Muchas malas nuevas escriben de todas partes y muy rematadas, y lo peor es que todos las esperaban así. Esto, señor don Francisco, no sé si va acabando ni si acabó. Dios lo sabe: que hay muchas cosas que pareciendo que existen y tienen ser, ya no son nada, sino un vocablo y una figura».

Y realmente, a partir de la paz de Westfalia, España ya no era para nadie más que un vocablo y una figura o, como dijo un siglo más tarde Cadalso, «el esqueleto de un gigante»; había dejado de dictar la ley al mundo, y totalmente exhausta, tanto económica como psicológicamente, se replegaba en la amarga y tardía conciencia de su limitación y sus errores. La generación de 1648-1659 podría ser señalada a este respecto como la primera en que un grupo de españoles se tapan la cara con las manos, hartos de relumbrones y encandilamientos, y se ponen a meditar —con mayor o menor acierto— acerca de la ruina que perciben en torno y que afecta a la economía, a la agricultura y a la industria. Son Saavedra Fajardo, Fernández de Navarrete, Arrieta, Sancho de Moncada, González de Celórigo, Martínez de la Mata, hombres que tienen en común su afán por hurgar en una serie de opiniones intocables hasta entonces y por mirar a ver si se puede hacer algo con lo poco que queda en casa. Es como si por primera vez se pusieran o trataran de poner en relación las causas con los efectos para tocar las raíces de lo que se advierte que no marcha tan bien como siempre se había dicho. Estos escritores, llamados los arbitristas, en nombre de los «arbitrios» o soluciones que entrevieron para los males del país, son quienes inauguran una revisión pesimista del pasado español, actitud crítica que irá en crescendo y culminará en las lamentaciones de los hombres del noventa y ocho. Una característica que ya se apunta en ellos es la de su individualismo, la de su incapacidad para colaborar. Claro que no era culpa suya. Operaban y amonestaban desde el aislamiento a que, lógicamente, les había conducido su falta total de información profunda acerca de los problemas que analizaban. Como nadie les daba vela en el entierro de la nación, se la tomaron ellos, de un modo autónomo, pero tan solitario que a veces pecó de ingenuo y, sobre todo, de ineficaz y baldío. Era un predicar en desierto, un hablar para nadie o a la busca de un interlocutor que no aparecía. Tal vez es que no había manera de encontrarlo, que la abulia y la desgana nacional eran tan profundas que nadie quería ya saber nada de nada. Y en este aspecto no se arreglaron mucho las cosas con el paso del tiempo, sino que más bien se enconaron. Dos siglos más tarde, Larra, uno de los escritores españoles más lúcidos y penetrantes de todos los tiempos, escribía: «Escribir en Madrid es llorar, es buscar voz sin encontrarla, como en una pesadilla abrumadora y violenta».

De esta queja a complacerse en la conciencia de excepcionalidad que supone hacerla y seguir predicando a pesar de todo, haya oyentes o no los haya, no media más que un paso, y muchos españoles lo dieron. El viejo Macanaz, ministro de Felipe V, que pasó media vida en el exilio, es un ejemplo claro de este tesón. Aun poseyendo datos suficientes para comprender que en la Corte de Madrid se veían llegar con total indiferencia sus memoriales y avisos desde el extranjero, sólo la muerte consiguió hacerle cejar en su empeño de seguir clamando en el vacío acerca de lo que él creía las lacras del país, y me atrevería a afirmar que sentía un cierto regodeo en este terco hablar para nadie. Es, en verdad, una situación a la que paulatinamente los españoles se han tenido que acabar resignando, ésta de que nadie les escuche. En pocos países como en el nuestro gustará tanto hablar y tan poco escuchar. La cuestión es deslumbrar por cuenta propia, protagonizar, se tenga algo que decir o no. Todos los españoles, más que ser oídos, quieren hablar sin que les interrumpan; el papel de oír, a nadie le gusta un pelo y muy pocos lo representan, y es precisamente ese reparto tan descompensado lo que les hace tan poco dotados para la comunicación. Este fenómeno lo detectó muy bien don Miguel de Unamuno, que —dicho sea ya que viene a cuento— se murió sin haber escuchado nunca a nadie.

Pero me he desviado mucho; vuelvo a los arbitristas. Durante el reinado de Carlos II, período en que la situación de penuria del país se agudizó hasta un punto álgido, los escritos de corte arbitrista —anónimos muchos de ellos— proliferaron enormemente. Nunca había corrido tanta tinta sobre el agotamiento y los males del país. Pero el tono de estas lamentaciones conservaba la esperanza en aquellos remedios caseros que se proponían, y en las críticas de tiempos posteriores, presididas por un mayor escepticismo, ese tono esperanzado e ingenuo se perdió.

Otra de las diferencias más significativas quizá entre estos españoles del XVII y los que, a partir del siglo siguiente, eligieron para sus críticas temas parecidos, estriba en que a los primeros era el propio malestar económico y social de España, en su evidencia insoslayable, lo que los impulsaba a quejarse, y no la imitación de corrientes, modas o escritos de otros países, por la principal razón de que apenas se recibían gacetas ni libros extranjeros. Pero la apertura que significó el cambio de dinastía con que se inició el setecientos español añadió un elemento nuevo con respecto a la situación revisionista que queda esbozada: la conciencia de los males de la Patria considerados en sí mismos había de venir a ampliarse desde ahora progresivamente mediante puntos de comparación surgidos al contacto de las costumbres e ideas francesas que poco a poco iban penetrando. Se empezó a caer en la cuenta del retraso que España sufría en todos los órdenes con relación al resto de las demás naciones europeas, y al calor de este fenómeno nació y fue tomando cuerpo una especie de sentimiento de inferioridad que el español hasta entonces raramente había conocido. Y frente a esta conciencia de la propia inferioridad se empezaron a perfilar dos actitudes opuestas, en torno a las cuales habrían de irse polarizando ya en adelante de un modo irremisible los dos bandos del pensamiento español. Una actitud era la de la europeización de España, es decir, la de salvar la distancia que separaba al nuestro de los demás países ilustrados, cuyos progresos empezaban a deslumbrar; otra, mucho más general y arraigada en un país que había expulsado a moros y judíos con el consenso popular, la de la xenofobia, la del odio a cualquier novedad que viniese de fuera y la arrogante complacencia en todo lo de casa. Atrincherados estos españoles del segundo grupo en la cerril convicción de que no les era preciso saber nada de aquello que ignoraban y pretendían enseñarles países donde reinaba la herejía, rechazaron de plano el siglo de las luces, como peligrosa fuente de errores, y se encendieron en apologías de las pasadas glorias patrias, sin quererse convencer de lo caras que las estaban pagando.

Pero si bien es cierto que la actitud tradicionalista se exageró y radicalizó por parte de muchos, no lo es menos que la tendencia a aceptar con entusiasmo cualquier novedad que llevara el marchamo de extranjera llevó, por el extremo opuesto, a excesos también muy notables de beaterío y papanatismo. Este afán de mimetismo aparece ridiculizado en muchos textos del tiempo, entre los cuales descuella el que Cadalso tituló *Los eruditos a la violeta*, sátira muy aguda y sorprendentemente actual. Y también aquel atrabiliario de Torres Villarroel, que anduvo por la vida a cuerpo limpio, escurriendo cuanto pudo el bulto a la rutina, se reía mucho del prurito de sus contemporáneos por seguir entusiasmados cualquier moda que viniese de fuera. «Los españoles

—decía— son los micos de la especie; todo lo quieren imitar. Viven con los ojos antojadizos y los gustos avarientos y, sin consultar a la razón, enamorados de las superficies, califican de mejorías las extravagancias.»

Desde el siglo XVIII hasta nuestros días, el pensamiento progresista y el tradicional pocas veces han encontrado un punto de concordia ni casi se han esforzado por buscarlo. Excepto algunos casos aislados, entre los que destaca el del padre Feijoo, poca gente ponderada ha cogido la pluma en la historia de nuestras letras, ni se ha subido a un estrado en la de nuestra oratoria. Ya lo dijo Unamuno: «Todo español es un maniqueo inconsciente; cree en una divinidad cuyas dos personas son Dios y el demonio, la afirmación suma, la suma negación, el origen de las ideas buenas y verdaderas y el de las malas y falsas. Aquí lo arreglamos todo con afirmar o negar redondamente, fundando banderías».

Tiene, en efecto, la ponderación mala prensa entre los españoles, produce malestar y despierta recelo. La facilidad para pasar de la ponderación al insulto lleva a los españoles a detectar como mayor enemigo a quien se ha defendido de la enfermedad de insultar que a quien abiertamente los insulta. País de abogados y de jueces, España tiende a mirar con menos antipatía a un individuo que cambia apasionadamente de opinión para pasar a defender sin transición la contraria que al que, deponiendo el fanatismo y armándose de serenidad, se empeña en ir al fondo de las cuestiones sin considerar si es a tirios o a troyanos a quienes sirve. Con lo cual irrita a tirios y a troyanos, que lo único que quieren saber expeditivamente es el letrero que tienen que colgarle a cualquiera que haya abierto la boca para decir algo, y desatienden en cambio lo único que habría que atender: el contenido de las palabras que ha dejado dichas. Este prejuicio que tanto obstaculiza el entenderse, se propaga, claro está, a la letra escrita, porque de un pueblo que no sabe escuchar, mal va a esperarse que sepa leer con acierto. El padre Feijoo, cuyos escritos levantaron tan formidable polémica, advertía al lector en una ocasión:

«Ruégote que cuando en los escritos de mis contrarios halles censuradas algunas proposiciones mías que te parezcan o falsas o duras, remires en el teatro crítico el lugar que se cita, y hallarás o que la proposición no está concebida en aquellos términos, o que en su contexto se halla alguna explicación o limitación que la lleva a otro sentido diferente de aquel que le dio el impugnador».

Feijoo fue precisamente uno de los pocos españoles, y de los primeros, en comprender los nefastos resultados de seguir a ciegas, sin más análisis, cuanto la costumbre hubiera impuesto como excelente. Pero también se dio cuenta de que la tradición era necesaria para respaldar lo nuevo y se dispuso tomar de ella cuanto honradamente le pareciese aprovechable.

Con estos equilibrios iniciados por el fraile benedictino se abrió el debate de la europeización de

España, llamado a estar vigente hasta después de bien concluida nuestra guerra civil. ¿No sería —se preguntaban algunos— que, en el fondo, los españoles resultaban refractarios a la cultura europea moderna? Y si así fuera, ¿había que acongojarse por ello? Es bien conocido que Unamuno llegó a afirmar: «Claro que no hay español inteligente y bien intencionado que desee ver su Patria divorciada de la vida general de los pueblos cultos; pero hay más de un modo de participar en ella, y acaso el mejor para tomar de Lutero, de Goethe, de Bacon, lo que a nosotros sea adaptable, sea tratar de imponerles nuestro San Juan de la Cruz, nuestro Calderón, nuestro Cervantes y hasta nuestro Torquemada. Todo menos esa actitud servil de papanatas que no tiene en cuenta nuestro propio espíritu».

En los albores del xix, algunos diputados doceañistas trataron de poner al servicio de sus reformas políticas la mentalidad armonizadora de Feijoo, conscientes de que sin las garantías de lo añejo el pueblo no vería como grata reforma alguna, sobre todo si la sospechaban inspirada en modelos extranjeros. El ideólogo más representativo de este afán por buscar un punto de concordia entre lo «antiguo» y lo «moderno», Martínez Marina, decía años más tarde del fracaso de las Cortes de Cádiz:

«Después de muchas meditaciones, llegué a persuadirme de que el remedio más pronto y la medicina más eficaz para curar las enfermedades más envejecidas del pueblo y disponerlo a tomar interés por la revolución era instruirlo en la historia de sus precedentes generaciones... No porque yo haya pensado jamás que la nación no tiene otros derechos que los que gozaron nuestros mayores o que no existen más títulos para asegurar la independencia y la libertad nacional que los que se hallan consignados en los viejos y carcomidos pergaminos sepultos en el polvo de los archivos, y mucho menos que la antigua Constitución de Castilla fuese perfecta y adaptada en todas sus partes a la presente situación política. Sino por lo mucho que la conducta y gloriosas acciones de nuestros antepasados pueden contribuir a extender y fijar la opinión general».

Con el regreso de Fernando VII, la labor de las Cortes de Cádiz quedó, como es sabido, totalmente anulada, y la ideología «moderna», que había empezado a llamarse «liberal», condenada al silencio, a la exasperación más baldía. Quizá la consecuencia más lamentable de este amordazamiento fuese lo que contribuyó a hipertrofiar la incapacidad para la colaboración ya tan latente en los españoles. A la muerte de Fernando VII, de hecho y como secuela de su gobierno opresivo, la fragmentación y discordia de las opiniones liberales, sometidas a subterránea fermentación, se habían convertido en enfermedad incurable. Larra, el más inteligente representante de la nueva generación liberal, cuya eclosión coincidió con el regreso de los emigrados doceañistas y los intentos de reinstaurar sus principios, escribía, consternado, a la vista de aquella desconcertante gusanera de camarillas y subcamarillas: «Porque no escribe uno ni siquiera para los suyos. ¿Quiénes son los suyos? ¿Quién oye aquí? ¿Son las academias, son los círculos literarios, son los corrillos noticieros de la Puerta del Sol, son las mesas de los cafés, son las divisiones expedicionarias, son las pandillas de Gómez, son los que despojan o son los despojados?».

A lo largo de todo el siglo XIX este fenómeno no hará sino tomar incremento de un modo alarmante y fatal. En los albores de la Restauración, Giner de los Ríos, uno de los profesores más eximios de la Institución Libre de Enseñanza, no oculta su desconfianza en casi todos los organismos que pretenden configurar la vida nacional ni «en las endebles construcciones a que los empíricos y charlatanes apelan para remediarla».

Desde ahora se insistirá frecuentemente sobre este tema del vacuo charlatanismo de los españoles, cada uno de los cuales pretende detentar méritos suficientes para ser el mesías de un país que va de mal en peor. En la prensa, en la cátedra, en los libros, en las tertulias particulares, en el Parlamento se pondrá sin cesar sobre el tapete lo que se llama de una forma cada vez más neta «el problema de España», y acerca del cual todos querrán echar su cuarto a espadas y proponer fórmulas similares a los «arbitrios» que dieron nombre a los hombres del XVII. Los de este último cuarto del XIX se habrían de conocer más tarde como los «regeneracionistas» por su coincidencia en hablar de la «regeneración de España». Tienen, además, en común un tono de desaliento y pesimismo, pocas veces atemperado por la paciencia. Son Macías Picavea, Costa, Lucas Mallada. Todos ellos se dicen ahítos de retórica parlamentaria, sin que por ello la dejen de usar.

«Esta patria —escribía Mallada—, en otro tiempo tan victoriosa y tan fuerte que dictaba la ley al mundo y tenía en jaque al otro medio, ha venido tan a menos que cualquier cosa es un estadista y cualquier zascandil entrometido y chismoso consigue enriquecerse o satisfacer su vanidad a la sombra del partido que se le antoje. Vistos de fuera, nada remeda juego de niños tanto como nuestros partidos políticos; observad las diabluras que meditan, escuchad sus despropósitos, reparad sus discordias y sus riñas, ved los que se pelean con más saña que eran ayer los mejores amigos... y en ese grupo tendréis el retrato de cualquier partido político.»

Y Costa, ensalzador de la política del despotismo ilustrado español del xviii, época en la que, según él, se había hecho más de lo que se había hablado, escribía en una ocasión, refiriéndose al conde de Aranda, a quien consideraba político ejemplar:

«El hombre de más viveza de ingenio, de más presteza en la ejecución entre cuantos han ejercido el poder en España en los últimos cien años, manejaba, sin embargo, con dificultad suma la palabra, no pareciendo sino que toda la lengua se le había trasladado a los dedos y era mudo».

No; desde luego, en las postrimerías del xix español, mientras bajo las anodinas apariencias de la Restauración se iba produciendo la desintegración de España, que había de culminar en el desastre de 1898, cualquier cosa podría decirse de los españoles menos que se habían quedado mudos. Era un guirigay insoportable el que resultaba de aquel desmedido afán por echar el propio discurso. Todo el mundo echaba discursos, se los creyera o no, tuviera razón o no. Y había una barrera entre los individuos discurseantes, atrincherados en su egolatría; nadie veía ni oía al de enfrente. Este fenómeno era delatado en 1895, tres años antes del desastre de Cuba, por uno de los personajes más negados para ponerse de acuerdo con nadie, don Miguel de Unamuno: «Recobran fuerza nuestros vicios nacionales y castizos todos, la falta de lo que los ingleses llaman *simpathy*, la incapacidad de comprender y sentir al prójimo como es; y rige nuestras relaciones de bandería, de güelfos y gibelinos, aquel absurdo de *«qui non est mecum, contra me est»*. Vive cada uno solo entre los demás, en un arenal yermo y desnudo...». «En esta sociedad compuesta de camarillas que se aborrecen sin conocerse, es desconsolador el atomismo salvaje de que no se sabe salir si no es para organizarse férrea y disciplinariamente con comités, comisiones, subcomisiones, programas cuadriculados y otras zarandajas.»

Y Baroja, que siempre se complació en su individualismo, en su condición de bicho raro, decía, refiriéndose a la descomposición de España a finales del siglo XIX: «Un hombre digno no podía ser en este tiempo más que un solitario».

Los españoles, en efecto, se encogían de hombros y se replegaban en su conciencia de excepcionalidad; unos con la cabeza tapada, otros atalayando todavía, con una mezcla de desesperación y soberbia. Desde la queja de Feijoo: «El retraso de España lloro porque el retraso de España me duele», hasta el «Más vale ver negro que no ver» de don Antonio Machado, los caminos optimistas se habían ido cerrando y las posibilidades de entenderse con los demás también. Los discursos abocaban al retraimiento, evidenciaban el callejón sin salida, pero nadie dejaba de hablar. Replegarse sin dejar de hablar. No creer ya en nada, pero seguir hablando. Es el último privilegio a que renuncia un español. Hacer trabajos de ajuste pacientes y minuciosos, escuchar, colaborar, aprender, eso son esfuerzos para naciones menos abúlicas que la nuestra, menos altaneras, más humildes. En cambio, hablar es algo que apenas exige esfuerzo, sale sin sentir, aunque se haya comido poco, aunque esté uno tumbado, ni siquiera —la Historia lo ha venido demostrando— hace falta interlocutor. Se puede hablar de un modo instintivo e incoherente, sin preparación ni sistema, de lo que vaya saliendo, al palo que pinte.

«Si yo fuese consultado como médico espiritual —dejó escrito Ángel Ganivet— para formar el diagnóstico del padecimiento que los españoles sufrimos, diría que la enfermedad es "no querer" o, en términos más científicos, *aboulia*... Si en la vida práctica la abulia se hace visible en el no hacer, en la vida intelectual se caracteriza por el no atender. Nuestra nación hace ya tiempo que está como distraída en medio del mundo. Nada le interesa, nada la mueve de ordinario; mas, de repente, una idea se fija y, no pudiendo equilibrarse con otras, produce la impresión arrebatada... No vemos simultáneamente las cosas como son, sino que las vemos a retazos, hoy unas, mañana otras.»

Poco después de hacer este análisis, tan lúcido —para nadie—, Ángel Ganivet se suicidó. Cierro con sus palabras esta selección de quejas de los españoles sobre los españoles, que amenazaría con no tener fin si no se lo pusiera uno deliberadamente en un punto cualquiera.

Y, aunque no se me oculta que todas las observaciones que he añadido de cosecha propia son manidas y tópicas, ni pienso justificarme ni quiero eximirlas de tal cariz, porque me ha movido menos una pretensión de originalidad que el incentivo de jugar por escrito a ese juego de tanta solera nacional a que me empecé refiriendo y entre cuyas convenciones figura, por supuesto, la de que sea obligado asistir al palo de los tópicos.

Triunfo

Las trampas de lo inefable

El título mismo de esta revista ya de por sí bastante exigente si se tomara al pie de la letra, me ha traído a pensar hoy, cuando he sido requerida para colaborar en ella, que no estaría de más esforzarse por responder de verdad a la pretensión implícita en su enunciado, empezando por tomárselo al pie de la letra. La única actitud seria frente a cualquier asunto que exija ciertas consideraciones es tomárselo al pie de la letra, por la raíz de su letra, no por las ramas de su música.

Precisamente creo que por andar los propósitos y su música de fondo tan divorciados de lo que dice su letra, su enunciado, es por lo que nadie logra hoy —ni en la mayoría de los casos lo intenta siquiera— entenderse con nadie en esta olla donde todos los grillos o se arrancan por saetas y petencras llorando la muerte del diálogo o se desgañitan anunciando infalibles y maravillosas panaceas para su resurrección. Son cánticos de ocasión y borrachera; y, tras la fugacidad de su exaltación, suelen acabar en el vertedero por donde se despeñan y se petrifican casi todas las paletadas de palabras que máquinas y bocas emiten a diario, voces desconectadas de su designio y de su interlocutor, estériles, miméticas, quejidos rutinarios, flechas disparadas sin tino que se cruzan silbando cada cual por su cuenta y en su tono, am pliando las resonancias de esa música ensordecedora y desafinada que acosa, estalla y zumba por doquier.

Música y aspaviento —de «réquiem» o de «hosanna»— en torno al tema del diálogo, ahogándolo, enterrándolo. Pero ¿y la letra? ¿Qué pasa con la letra? Habría que pararse a considerar que ese diálogo tan traído, llevado e invocado, tan herido de muerte, de náusea y zarandeo, lleva engastado en su entraña, en la raíz misma de su letra, el diamante del *logos* («palabra», «discriminación») como piedra de toque fundamental, como un hacha de sílex que nunca pulimentaremos ni afilaremos lo bastante. Porque ese *logos* es el único instrumento con que, en definitiva, podemos contar: no tenemos otro bisturí —ni lo hay— capaz de penetrar, separar y atravesar (conviene recordar que *dia* es «a través») el bosque enmarañado de realidades por el que andamos desorientados, indagando, olfateando, tratando de avanzar y que se nos ofrece en miles de sugerencias como perenne objeto de diálogo. Así que no hay otra alternativa ni otra clave que la de atender al *logos*. Si el diálogo está enfermo, como lo está —y en reconocer eso coinciden tirios y troyanos—, todo lo que no sea ocuparse del *logos* es no querer buscar el mal en su raíz, es irse por las ramas; operar del estómago a un enfermo cuya retina amenazase con desprenderse. Cada cual ha de aplicarse —continuamente— a la tarea de mantener operante su propio *logos*, de afilarlo para talar la maleza que ofusca su visión y entorpece sus pasos por el bosque. Sin empezar por esa labor —que, por supuesto, es solitaria y previa al diálogo— no habremos conseguido llegar con nada a nadie ni penetrar realidad alguna.

Todo esto parece evidente. Y, sin embargo, ¿quién le suministra a la palabra los cuidados que requiere?

Creo, por el contrario, que a medida que se proclama con creciente exasperación y monotonía que vivimos en un mundo de incomunicación, que nadie habla con nadie, que nos convertimos en máquinas, menor es el interés y el ahínco por buscar solución a los males del diálogo, de la comunicación, en el terreno del *logos*. Se diría que cuanto más se multiplican las menciones al mal, decrece en proporción inversa la exigencia por explicárselo uno mismo —requisito previo para poder explicárselo a los demás—; cuanta mayor desgana, desvío y desconsideración se manifiesta para con las palabras, peor trato se les inflinge; se las allana y ofende, son holladas, agarradas por donde quiera, sin delicadeza alguna, consideradas como meros trastos intercambiables; da igual una que otra. Y proliferan los «al fin tú ya me entiendes»; «bueno, era para entendernos»; «es cuestión de palabras»; «qué más da»; «no sé cómo decirte»; «tendrías que ponerte en mi caso»; rematados a veces con el famoso: «sí, claro, eso se dice bien, hablar es muy fácil…». Pero no. Qué va a ser fácil. Si fuera fácil no habría que suplir con tantos balbuceos, interjecciones y puntos suspensivos, con frases hechas a base de material de cualquier derribo, los vacíos del *logos* embotado, precario, ineficaz. No es fácil hablar, no, qué lo va a ser. El verbo como fácil, como cosa de nada, como una frivolidad más, es lo que complica y enmaraña el asunto. Si se partiera de que no es tan fácil, si se tomara como esencial empeño arrancarle al *logos* toda esa riqueza que contiene y que nunca otorga a los indiferentes ni a los perezosos, la misma labor de conquistarlo y atenderlo llevaría aparejada su eficacia; habría cosas difíciles de explicar, pero no existiría nada inexplicable. Y estarían, sobre todo, prohibidas, como el mayor pecado contra el diálogo, las espantadas dialécticas en que se suelen refugiar a veces los hablantes cuando se enfrentan con un interlocutor que les exige rigor y precisión, esos cortes histéricos al hilo que no son capaces de enhebrar bien: «déjalo, si es inútil, no me entiendes, hay cosas que no se pueden entender», donde los abalorios del discurso, al rodar por el suelo con su rúbrica de bisutería barata, ya evidencian descaradamente la mala voluntad y la desgana de quien finge quejarse de ajenas entendederas; encubren a duras penas el regodeo por seguir balbuciendo imprecisiones, debatiéndose en la charca de lo que no se puede explicar porque, en definitiva, no interesa penetrarlo ni entenderlo, en el revolcadero de lo inefable.

No es, por supuesto, un fenómeno exclusivamente típico de nuestros días esta tendencia a hundirse y escudarse en lo inefable. Pienso incluso ahora que sería muy sugerente —y no sé si se habrá hecho alguna vez— intentar un rastreo del gusto por lo inefable a lo largo de la literatura de todos los tiempos; pero aun sin necesidad de acometer, ni siquiera sumariamente, tal labor, cualquiera podrá recordar algún poema, canción o trozo de prosa (que en todas las épocas y países los ha habido) cuyo tema sea el de la rebeldía del hombre frente a la palabra, o bien luchando contra sus estrecheces de mejor o peor fe, o bien renegando de ella, es decir, considerando que la palabra traiciona y tergiversa la esencia de lo inefable.

Lo que sí me parece, en cambio, peculiar de nuestro tiempo es que ese fenómeno simultanee su vigencia con un recrudecimiento exasperado del prurito por comunicarse con los demás. En ello estriba la gran falacia y contradicción de los debates en torno al asunto. El tipo —tan común en otras épocas como raro en la nuestra— del misántropo que, desengañado de las palabras o harto de sus rigores, se retiraba en total soledad y ensimismamiento a rumiar lo inefable, respondía a un proceso coherente; pues, si bien desesperaba del *logos*, no dejaban de estar reconociendo con su actitud, por otra parte, que al haberle fallado ese instrumento, ningún otro podría abrirle camino hacia posibles interlocutores, y ese convencimiento era la razón fundamental de su deserción.

Hoy, en cambio, nadie se retira en soledad ni a rumiar lo inefable ni a rumiar nada de nada. Se exige perentoriamente un ademán de perpetuo intercambio, de estar pasándole algo a otro, al que sea, al primero que se tenga al lado, igual da; y algo que tampoco importa lo que sea ni interesa analizar o definir. La cuestión es mantener esa ficción de diálogo, de comunicación, de intercambio entre los hombres.

Pero intercambio, ¿de qué? Saberlo, preguntarse por ello con un mínimo de honestidad, supondría interrumpir la ficción, dejar de componer ese ademán mimético, pararse por unos instantes a abrir el saco de las cosas que se están pretendiendo intercambiar, y acaso tener que reconocer que está vacío. O cuando menos, confuso, revuelto, necesitado de ordenación; emergerían, sin duda de lo más hondo, objetos insospechados y agobiantes clamando insistentemente por sus fueros: estructura, revisión, separación, lugar en el *logos*. Y a pocos les interesa correr el riesgo de hurgar en ese saco. Vacío o lleno, como quiera que esté, prefieren olvidarse de su contenido, pasarlo cerrado y bordar en su envoltura brillantes y agresivas peroratas, dibujos en espiral, volutas de protesta mordiéndose la cola, cuyo tema es el mismo, siempre el mismo: la urgencia por salvar el diálogo, la sed de comunicación, la amargura porque los demás no le entienden. Protestas, claro está, que, por ser totalmente subjetivas, acríticas y monocordes, esto es, idénticas a las que los demás ensartan y lanzan a su vez, ni tienen vuelta de hoja ni pueden hallar nunca el contraste indispensable para que el diálogo pudiera perfilarse.

Ahora bien, el coro de las quejas ajenas propagando la mancha de aceite de la propia, si bien contribuye a alejar cada vez más fatalmente de los terrenos idóneos para el diálogo, cumple en cambio, otra función; la de que su rumor, por ser precisamente semejante al que uno mismo emite, otorga automáticamente un sucedáneo de compañía, que era, en el fondo, lo que urgía buscar; apuntala y arropa, ahuyenta el miedo, diluye la conciencia, conjura la evidencia de que vive uno solo y de que hay tareas —como la del *logos*— que son intransferibles. Y así, delegada cualquier responsabilidad en esa rueda de sonidos acordes con el propio, la tarea de hablar y de entenderse se olvida y se aligera, repartida entre todas, fragmentada en añicos, inocua, evanescente. Hasta que, por caminos de birlibirloque, llega —¡oh, milagro!— a desaparecer, transmutándose en algo indescriptible y mágico, algo que nadie asume ni dirige, impar fluido que comunica entre sí a los seres que convienen en compartir esa embriaguez y dejarse habitar por ella, en magnificar la anestesia fulminante y espectacular de lo inefable.

Y pasa lo inefable a sustituir, como panacea, a la palabra. Y los que tanta bulla metían en el cotarro, los que tomaban como ofensa personal que no se les entendiera, los que tanto escurrían el bulto de la palabra, encuentran ahora, en el burladero de lo inefable, el lugar ideal para predicar desde él (sin que se note tanto que han desertado de la lidia) que el diálogo puede salvarse llevándolo a otros terrenos. Que el que se haya aburrido del terreno del *logos* lo puede abandonar. Que no se trata ya de discriminar nada, sino ahora de adentrarse en lo más intrincado de esa selva que antaño la palabra quería penetrar, que en la misma espesura de esa selva, en la confusión de lo inefable, aparecerán las hierbas curativas para el diálogo. Y es un viaje masivo el que se emprende, es una caravana; te acompañan las voces, los bultos de los otros, sus sombras y sus ecos garantizan que no te pierdes solo.

Y así, dando por entronizada la comunicación a través de lo inefable, esos compañeros que viajan con uno —como antes las palabras— serán interfungibles, masa irrelevante de rostros que se ignoran en su particularidad, cuyas barreras se hollan, cuyos gestos y enigmas no habrá que interpretar, porque esto acarrearía concentración, esfuerzo, rebajaría el éxtasis de lo inefable. Y los fieles que hayan ingresado en este indiscriminado tabernáculo, de cuyos umbrales se destierra cada día con mayor encono el reinado de la palabra, llamarán comunicarse a fundir confusiones, a despedir destellos de inefabilidad, puro baile de luces en espejos, mensajes sin contenido ni designio que se cruzan en el vacío y que a nadie en concreto se dirigen. Y aumenta el clamor de los cánticos uniformes, adormecedores, sin más letra que la de justificar *a priori* su eficacia, al aumentar el número de los fieles que pasan a entonar salmodia tan barata y fácil de aprender: la salmodia que glorifica el reino de lo inefable.

Y mientras tanto, el *logos*, que hay que cuidar a solas, mediante dedicación oscura y esforzada, en brega intransferible, paciente y rigurosa, languidece y se embota por desuso, mella su filo contra tanta barbarie. Y como sigue siendo y siempre lo será, a pesar de todo, el único vehículo posible para viajar a través de la realidad y llegar a los demás, el diálogo sin el *logos* se queda en el andén, incapaz de ponerse en marcha. El vehículo del *logos*, de resultas de tanto estrago y desconsideración por parte de esos expeditivos viajeros que pasan de largo sin atenderlo, fingiendo ademanes de viaje, maltrecho, desguazados sus asientos, sus ruedas oxidadas y rotos sus cristales, se ha parado en la vía, patentizando su ruina y su agotamiento, y amenaza de verdad con llegar a no servir ya para transporte ninguno.

Cuadernos para el Diálogo, enero de 1972

Tal como está organizado el mundo en que vivimos, es evidente que todo a nuestro alrededor parece gritar al unísono pidiendo urgencia y que muchas cosas resulta materialmente imposible dejar de hacerlas de prisa. Ahora bien, el hacer las cosas de prisa lleva aparejada una angustia en el que las hace que impide hacerlas bien, con la atención necesaria.

Ya pocas veces se dice: «Lo que voy a hacer es conveniente hacerlo de prisa», como sería lo adecuado, sino que se dice atropelladamente: «Tengo prisa, tengo mucha prisa». Y este tener prisa, tenerla uno, ha llegado a ser una sensación casi física, como las de hambre, frío o dolor de muelas. Esto es lo grave: ya que independientemente de lo de prisa o despacio que haya que hacer las cosas, tiene uno prisa, la tiene siempre, metida en el organismo, donde se ha ido incubando como una enfermedad.

La prisa del ambiente, en cuanto resultado de una determinada organización del mundo, sobre todo en las grandes ciudades, podemos llegar a tomarla como inevitable. Pero, en cambio, la prisa en cada individuo, el acelero psicológico que casi permanentemente nubla y enajena nuestro actuar, eso es una enfermedad que, como todas, tiene su tratamiento.

Sin embargo, el único tratamiento eficaz contra la prisa exige una tan absoluta constancia y dedicación a él, que desanimará a muchos, ya que la gente tiende a cancelar cuestiones y archivarlas en seguida; es decir, olvidarlas. Y así, suele desesperar un régimen que tiene que ser aplicado toda la vida, ya que apenas abandonado vuelve a aparecer la enfermedad.

Pero dado que la prisa nos acecha siempre, que se ha propagado de tal modo que alcanza a nuestros menores gestos de abrir una puerta, coger un objeto o encender un pitillo, es natural que la alerta que haya que montar contra ella sea también continua; es decir, que no bastará con tener conciencia de unas determinadas normas, equivalentes a píldoras que se toman después de las comidas o a una gimnasia recomendada al levantarse, sino que habrá que mantener y renovar tal conciencia, porque estas normas nada serían sin la voluntad de aplicarlas a cada instante.

Se trata esencialmente de liberar nuestro pensamiento de la ofuscación que la prisa produce. Se puede dejar que la prisa invada nuestras piernas, nuestros brazos; que alcance a todos los miembros eficaces para servirla. Pero, en cambio, hay que poner a salvo nuestra mente, en cuyo terreno hace la prisa sus verdaderos y más lamentables estragos, ya que puede llegar a sustituir al pensamiento.

Cuanta mayor prisa tenemos, menos nos damos cuenta de por qué la tenemos. Se nos aglomeran los motivos reales con los imaginarios, los personales con los generales, los remediables con los irremediables, y, desaparecida nuestra discriminación mental, quedamos a merced del enemigo mental, que muy exactamente podríamos comparar con un caballo desbocado del cual se pierden las bridas.

«Vísteme despacio, que voy de prisa», dice un refrán español. Lo cual no quiere decir: «Deja de vestirme; mándalo todo al diablo, porque al fin ya no llego a tiempo». Sino todo lo contrario: «Vísteme con atención, sin ofuscarte, haciendo bien lo que haces, y no pienses en si vamos a llegar a tiempo o no».

Parece una paradoja aconsejar reposo, serenidad dentro de la misma prisa, sin escaparse de ella. Y, sin embargo, es la única forma de darle batalla, la única solución. Y es posible, aunque sea difícil. Para refrendar mi testimonio ante los incrédulos, diré que sé muy bien lo que es sentirse rodeado de prisa, cogido por ella; que no hablo de oídas. Sólo uno que está metido en medio puede tratar de atacarla, intuir pequeñas soluciones valederas para todos. No el que, por alguna circunstancia privilegiada, la ignore.

Pensemos, por ejemplo, en una persona que tiene a una hora fija un quehacer importante y va corriendo por la calle hacia la parada del autobús. Esta persona, enajenada por la aceleración, en pocos casos va mirando a lo que hace, sino empujada por lo que va a hacer luego. Es decir, que vive fuera del momento actual, y ese tiempo de trámite irremediable no lo vive en sí mismo: lo desprecia. Supongamos que el autobús se le escapa y tiene que esperar a otro. Serán quizá diez minutos, durante los cuales podría descansar su vista y liberar su pensamiento; pero normalmente no lo hará, sino que continuará fuera de sí, previendo acontecimientos que él, ahora, no puede evitar y, por lo tanto, son ajenos a él, a este momento suyo, a este presente que está tirando a la basura.

Se me dirá: «Pero eso es muy humano, no se puede remediar». Y es que cuando vemos que a todo el mundo le pasan las mismas cosas no nos paramos a pensar por qué, ni si podrían dejar de pasarle. Nos abandonamos a la inercia de aceptar que lo que ocurre siempre es porque tiene fatales raíces en la esencia de lo humano.

Pero vamos a ver: lo humano, ¿qué es? ¿La ceguera? ¿No es el hombre el único animal capaz de cambiar las cosas por medio de su pensamiento? Y a este pensamiento, ¿quién le ha puesto trabas ni horarios? ¿Quién ha dicho que el tiempo de esperar un autobús no pueda ser también tiempo de pensar y de estar convirtiendo en algo vivo esa espera, en lugar de ser tiempo cegado, tarado?

Muchas veces oímos decir frases como «Yo no tengo tiempo de pensar en nada, no sé de dónde saca la gente tiempo para pensar». Los que así hablan consideran el pensamiento como algo contrapuesto a la vista, incomunicado con ella. Consideran que lo que se hace y lo que se piensa son campos que no interfieren. Y el tiempo de pensar se va así atrofiando, relegando a pequeños oasis estériles, como un lujo para gente ociosa o un desahogo momentáneo para los muy ocupados. También éstos a veces, es cierto, leen, piensan o charlan con los amigos, pero estos ratos oficialmente liberados de la prisa se consideran tiempo aislado, infecundo para contribuir a disipar los errores del acelerado vivir cotidiano, el cual se reemprenderá a su hora con idéntico vértigo y enajenación. Tanto es así que a este tiempo de pensar se le suele llamar perder el tiempo, porque el hombre se ha hecho esclavo de la prisa y siente como inerte y sin consistencia todo lo que no lleva su marca angustiosa.

El descanso, pues, sólo se ve ya como una escapatoria para contrapesar el vértigo, y no se piensa ni por un momento en que pueda existir el descanso (lo cual en este caso equivale a decir la lucidez, el pensamiento), coexistiendo con lo que se hace, modificándolo, dándole un sentido a cada instante.

Cuanto más se traten de buscar remedios a la prisa a base de estirar las horas del día para crearle compartimentos de escape, más arraigadamente se estará aceptando el imperio de esta misma prisa, más se separarán el tiempo de descansar y el de trabajar, el de pensar y el de vivir. Y debe tenderse —justamente a la inversa— a que estos tiempos se entremezclen lo más posible. Hay que esforzarse por que el juicio sobre lo que se está haciendo presida cada acción y crezca simultáneamente con ella.

Pensemos en los niños. Lo que más nos desespera de un niño es precisamente su ritmo. Ellos no comprenden (y hacen muy bien en no comprenderlo) que una hora sea la hora de jugar y otras no; se defienden con dientes y uñas contra esta tiranía, y de ahí provienen la mayor parte de sus conflictos con los mayores. Pero en eso estriba su autonomía y su libertad. Mezclan el tiempo de jugar con el de comer, con el de salir, con el de aprender. Las personas mayores, en cambio, tiran rayas muy bien definidas entre todos los campos. En el tiempo de estar serios no puede uno reírse; en el tiempo de trabajar no puede uno pensar que está descansando. Si un niño al que estamos acostando nos dice, por ejemplo, con el brazo escondido dentro de la manga del pijama: «Mira, esto es la trompa de un elefante», lo que nos hace contestarle: «Déjate de bromas ahora. ¿No ves que es la hora de dormir?», no es la verdadera importancia que le demos a demorar su sueño unos minutos. Le contestamos de un modo maquinal, respondiendo a la psicosis perenne de la prisa.

Es mucho lo que nos puede enseñar un niño de estilo de vivir, de punto de vista. Luchamos por meter también a los niños en nuestro ritmo, y luchamos con irritación, porque ellos son poderosos y antagónicos: no sólo se mueven en el ritmo opuesto, sino que intentan meternos en él a su vez. ¿Y por qué rechazamos su invitación de plano? ¿Por qué despreciamos este aprendizaje de tantos juegos y giros gratuitos, compaginables, además, en muchos casos, con los otros quehaceres, sólo porque nos parece que no desembocan en nada?

Los niños van siendo ya de los pocos seres humanos libres, dueños de su tiempo. Mantienen la mente clara y alerta en medio de la prisa que intenta minarnos por todas partes; se entregan de lleno, con paciencia y atención, a cada cosa que van haciendo. Por eso tienen la puerta abierta a todo aprendizaje.

En la medida en que podamos acercarnos al ritmo suyo seremos un poco más libres nosotros también.

Medicamenta, diciembre de 1960

Personalidad y libertad

Es muy difícil escapar a la tentación de tener una personalidad y cuidarse de ella. Esto nos esclaviza. Pocas veces nos entregamos con generosidad a un quehacer, dejándonos llevar hasta donde requiera su cumplimiento, sin preocuparnos de la figura que ese cumplimiento nos haga componer. Más bien, por el contrario, ponemos cada trabajo al servicio de conservar y alimentar un perfil decidido de antemano, con lo cual se evapora, se comprime o se desvía el verdadero caudal de las cosas que hacemos.

El rastro que deje un trabajo no debe ser nunca el de haber enriquecido y adornado nuestra personalidad, sino el de haber apuntado con exactitud hacia su objetivo. Pero tenemos malas enseñanzas; ya en los años del bachillerato estudiábamos para alcanzar esos sobresalientes que hoy nuestros padres guardan todavía y muestran con orgullo, a pesar de que el estudio de los ríos del mundo o de la Botánica no dejaron en nosotros huella ninguna. La entrega y atención a los trabajos en que vamos empleando nuestro tiempo y nuestra inteligencia es lo único que tiene algún sentido. El que no lo comprenda así puede llevar colgado a lo largo de toda su vida un mismo letrero escrito pegado sobre la pared de un frasco que no contiene nada.

Sin embargo, esta tendencia es muy fuerte: nos

pasamos gran parte de nuestra vida pegando etiquetas sobre nuestro frasco y los frascos de los demás, contemplando con ojos admirativos o reprobadores las que los otros, a su vez, han pegado. No se destapan los frascos para saber lo que contienen, si es que contienen algo; se atiende solamente a escribir con letra clara las etiquetas, a que estén bien pegadas y a que cada frasco tenga la suya.

Estos letreros son el resultado de considerar a los individuos como marcados por las reacciones y comportamientos que han tenido a lo largo de la vida, y a pensar que estos comportamientos se repetirán análogamente en situaciones venideras, como si todo lo que se hace o se dice quedara ligado al sujeto, fijando su personalidad. Y así, cuando alguien se comporta de forma distinta a la que parece que le correspondía con arreglo a sus anteriores manifestaciones, suele ser motivo de escándalo, y no porque se atienda al hecho ni se juzgue aisladamente, sino por su relación con un sujeto agente inadecuado. Por desgracia, todos tememos el escándalo. Al prestarle fidelidad a una postura, lo hacemos en una gran parte para no escandalizar ni confundir a los demás. Pocas veces, cuando llegamos a conocer más o menos vagamente la imagen que de nosotros ha guardado un amigo, nos sentimos con la valentía necesaria para contrariarla y destruirla; sin embargo, solamente en la medida en que consiguiéramos despreocuparnos de esas imágenes estaríamos en el camino de realizar algún acto libre. Porque así, dejándonos coaccionar por lo que los demás esperan de nosotros, y esperando, de acuerdo con ellos, una reacción previsible para cada ocasión, ocurre que esta reacción va siendo cada vez menos libre y más automática.

Si, por ejemplo, al sentir rubor, en vez de analizar los motivos que nos lo han hecho sentir, pensamos que los demás lo habrán considerado benévolamente porque cuentan con nuestra timidez, y nos decimos: «Me he portado así porque soy un tímido», no nos preocupamos tanto, pero la timidez se afianza en nosotros como un atributo inamovible y contaremos con ella para lo sucesivo. No existe gran diferencia entre este tipo de personalidad obedecida a la fuerza y otra que se haya elegido de antemano y a la cual se complace uno en obedecer. El que dice: «Soy así, todos me ven así, no tiene remedio», como el que dice: «quiero ser así y no dejar de serlo nunca», avanzan por la vida en una sola dirección, sin prestar atención a las circunstancias que han influido en ese comportamiento ni preguntarse en qué medida serían modificables.

Cada día se habla más de la personalidad. Todo parece haberse confabulado para hacer resaltar como lo más importante la manera en que Fulano ha hecho esto o aquello, en vez de atender a lo que ha hecho en realidad. Llegan a contar los gestos y ropas de un individuo, su forma de moverse —signos del todo exteriores— para encajarlo en una u otra categoría. En los reportajes de los periódicos, en las conversaciones con la gente, se desmesuran hasta lo increíble los comportamientos privados, deslumbran o repugnan, incitan a la imitación o al antagonismo. Pero casi siempre —como he dicho antes— se está fijando uno en la letra de la etiqueta pegada sobre un frasco que no hemos sentido interés en destapar.

Por otra parte, también se habla mucho de libertad. La gente quiere tener personalidad y tener libertad. Tener estas dos cosas, poseerlas, sin preguntarse lo que son, como quien se pone un sombrero bonito. Porque también la libertad que suele enviadiarse y desearse es la puramente aparencial. Deslumbran e incitan a la imitación los individuos desarraigados y dueños de su tiempo que entran y salen sin dar cuentas a nadie, que van donde les da la gana. El que esto signifique algo o no, depende de la existencia de esa gana. Pocas veces se pregunta uno adónde iría, en caso de poder ir a donde le diera la gana, y, sobre todo, si valdría la pena el viaje. Así puede llegar a ocurrir que, en nombre de la libertad, nos desatemos de quehaceres que eran nuestros y teníamos entre las manos, y después, para reemplazar éstos, despreciados por poco brillantes, nos veamos ante la tarea de inventar otros y de embutirlos de un sentido inventado también. Porque es muy curioso que las personas, con cuanto mayor encono defienden la libertad de su vida, más suelen tener en blanco esta misma vida y pasársela añorando quehaceres que la puedan llenar y justificar, exprimiéndose los sesos para buscarlos.

La libertad vacía no sirve para nada, y cualquier

trabajo que la habite tiene su servidumbre. Hay que darse de lleno a los trabajos que tenemos entre las manos, aceptar su monotonía, sacarles toda su riqueza. No hay que dividir los trabajos en brillantes u opacos, sino en llenos y vacíos, y siempre estarán vacíos los que hayamos inventado para exclusivo adorno de nuestra personalidad.

Medicamenta, julio de 1961

La influencia de la publicidad en las mujeres

La sociedad de hoy es, en todos los países, enormemente sensible a la figura exterior que compone la
persona. Al ser humano se le mide con arreglo a un
patrón de actualidad, es decir, se le pone un espejo
delante que, al señalarle la imagen que debe represen-
tar y mantener para no desafinar en su tiempo, le
corta el camino hacia el conocimiento de las cosas,
abortando todo criterio o simplemente ademán dis-
crepante. Desde la radio, la prensa, el cine y la
televisión, es bien sabido cómo se atosiga a diario al
ciudadano, indicándole con la más redomada amabi-
lidad lo que «precisamente a él» —espectador o radio-
yente en particular— le conviene, le «va», es decir,
cómo debe lavarse, vestirse, fumar, beber y sonreír
para redondear los detalles de esa figura dinámica
y atractiva, para armonizar ese conjunto de gestos
vacíos y uniformes, protegido por los cuales ya está
en condiciones de echarse a circular por el trafa-
goso mundo, como un reflejo más entre todos los
que, reincidentemente, parten del mismo Supremo
Espejo.

Está de sobra estudiado y analizado el grado de
poder corruptor a que han llegado los dictados de la
publicidad en cualquier sociedad capitalista, especial-
mente en la norteamericana; pero, por parecerme
algo muy sintomático de la coacción que tales dicta-

dos ejercen concretamente sobre la mujer, querría insistir aquí en uno de los aspectos más reveladores de su insidia: me refiero al lenguaje que la propaganda emplea, al interés fingido por cada caso personal, a ese melifluo «tú a tú» que, a manera de confidencial abrazo, rinde toda posible resistencia por parte de quien se siente, al conjuro de aquellas palabras, directamente aludido, halagado, acariciado. Las dulces miradas de tácita complicidad que esa amiga fantasma surgida de la pantalla dirige a nuestros ojos, mientras cuchichea un secreto de tocador; la sabia y protectora experiencia de que hace gala quien asume y se hace cargo, desde las misteriosas entrañas de un periódico femenino, de los más individuales matices de cada necesidad sentimental y doméstica; así como las fórmulas de «para usted, señora», «pensando en lo que a usted le conviene» y muchas semejantes, son otros tantos índices de lo que queda sugerido, y representan claros ejemplos de la estudiada estrategia propagandística; especializada, como todas las buenas estrategias, en atacar por los flancos débiles.

Pocas futuras compradoras, aun con una disposición inicial indiferente, escéptica o incluso claramente negativa con respecto al producto comercial o al remedio que para sus males sugieren tan persuasiva y amistosamente, serán las que sigan manteniendo un hostil rechazo a tantas pruebas de comprensión, a tantos ofrecimientos de confianza.

A la buena disposición femenina para recibir de

otro normas por las que regirse (tendencia fácilmente comprensible si se piensa en su pobre papel de comparsa a lo largo de la sociedad patriarcal), hay que añadir la circunstancia de que nunca una mujer se ha visto tan sedienta de afirmación y diferenciación, tan obsesionada por conquistar esa «personalidad» que ha de valerle el aprecio de los demás, como en el seno de la sociedad actual, donde todos los letreros invitan al éxito, al amor y a la felicidad individual como metas absolutas y accesibles mediante recetas prácticas. Y cuando por doquier nos están ofreciendo llaves más infalibles y perfeccionadas cada día para adecuarse a toda clase de puertas, hasta a las más secretas y particulares, nada tiene de extraño que decrezcan el interés y la preocupación por examinar personalmente esas cerraduras que no funcionan, analizando con ello las causas de su embotamiento y que, por el contrario, a expensas de lo que sería tan noble interés, se alimente y crezca la fe entusiasta en las panaceas pregonadas. Con lo cual, no solamente aquellas puertas que se pretendían abrir seguirán ofreciendo idéntica resistencia, sino que gradualmente viene a embotarse también cada vez más la capacidad de pensar algo bien claro: que, mientras no sepa uno mismo en qué laberinto anda preso, malamente nos va a dar nadie, desde fuera, llave ninguna para salir de él.

Y así, en un mundo donde nadie se atreve a mirar lo que pasa, donde la incapacidad para cambiar, inventar ni apenas desear nada de un modo autónomo ha llegado a ser casi absoluta, se da la contradicción de que se pone el acento más que nunca sobre las novedades y la distinción, sobre las variaciones, sobre la «personalidad».

Y en este sentido es en el que la publicidad, consciente de sobra de que esta avidez por destacarse y autoafirmarse late en grado más acuciante en las mujeres, ha tomado partido por ellas o, para decirlo con mayor propiedad, las ha escogido como aliadas principales para sus fines.

Nunca como ahora se han halagado los bajos instintos de la mujer hablándole continuamente de la personalidad que puede adquirir, del tiempo precioso que puede ahorrar para liberarse de la esclavitud doméstica, del deber que tiene de ser bella, feliz y, sobre todo, moderna. El tiempo que sus abuelas perdían miserablemente en planchar y almidonar, ellas, mujeres de hoy, al adquirir camisas de un género que no precisa planchado, piensan estarlo ganando, pero es una ganancia engañosa, ya que redunda en nuevas esclavitudes y necesidades de embellecimiento del cutis o del hogar impuestas por la publicidad con arreglo a patrones de alto estilo.

En otras palabras, al comercio le interesa proponer modelos caros a bajo precio, y es bien sabido que uno de los principales métodos de que su aliada, la publicidad, se vale para explotar el latente mimetismo de las mujeres, consiste en avecinarles lo más posible a los ídolos del cine o del dinero, antiguamente inalcanzables en sus altos olimpos, y al dejar vislumbrar los interiores de sus mansiones funcionales y sencillas, al desvelar el nombre de los perfumes que usan, de las marcas de bebida que prefieren, sugerir en los ánimos la idea de que no es ni mucho menos imposible llegar a componer un perfil parecido al de seres que, al fin y al cabo, son humanos, que nos sonríen y nos firman fotos en un periódico, que, en suma, tienen, como nosotros, su corazón y sus problemas. El sacar a la luz diariamente las tripas de tantas vidas de famosas y multimillonarias mujeres, sublimando sus abortos, menopausias y necesidades sexuales bajo el dulce lenitivo de un enfoque sentimental, no tiene por objeto más que el aumentar la proporción de vehementes buscadores de esa felicidad tan decantada y cuyo acento se pone machaconamente en el mismo sitio, sin pasarlo jamás a nada que no pueda ser identificado con la vida trepidante y aparentemente colmada que proporciona el dinero.

En la gente rica y ya estragada de por sí, que, harta de ensayar cambios y modas, puede incluso, con un poco de suerte, haber llegado a aborrecerlos todos, este tipo de propaganda a que he aludido hace menos estragos; pero es muy alarmante, en cambio, la convicción con que tales ideales arraigan y se propagan entre los seres de extracción más modesta. La devoradora avidez con que en algunos establecimientos de ambiente típicamente femenino de la clase media —peluquerías de señoras de barrio, concretamente— he visto que se comentan y leen las particularidades de las vidas de estas famosas que «rehacen su vida», «encuentran la perdida felicidad» o emprenden, «para olvidar un amor desgraciado», cruceros por el Mediterráneo, tiene un correlativo bien coherente en la empeñada fruición con que las mismas parroquianas atienden a los detalles del peinado que se hacen poner aquel día y en la seriedad con que discuten los consejos que, páginas más adelante, sugiere el mismo periódico para facilitar la conservación del cutis ajado o la presentación en la mesa de un asado multicolormente guarnecido. Esta gente es la que se sentirá fracasada cuando vea que no era tan fácil, tan barato ni tan rápido presentar el asado aquel, y sobre todo, cuando caiga en la cuenta de que ni el asado ni la crema de vitaminas revitalizadora del cutis alcanzan a remediar el hastío que el marido acusa al mirar ese rostro inexpresivo, al que no han enseñado más mueca que la de desear gustar.

Pero en el fondo —y en ello reside el gran engaño—, a esto, a gustar, es a lo que se reduce el horizonte que siguen proponiendo indefectiblemente a las mujeres estos manejadores modernos de sus destinos, que tanto pregonan estarse preocupando por sus problemas y su liberación. Y así, de piropear y envalentonar a la mujer, la propaganda ha pasado insensiblemente ya a su segundo y oculto objetivo, es decir, a subrayar la función que, por medio de esos atractivos conseguidos, tiene el deber de cumplir en la sociedad para que sigan marchando bien las cosas; es decir, se viene a desembocar en lo mismo de siempre: en poner de relieve al hombre como campo de operaciones, sobre el cual la mujer está llamada a influir.

Y aquí llegamos al «quid» de la cuestión. El fingido interés de la publicidad por el problema femenino, no solamente viene a parar en venderle un producto a ella sino en venderle otro para su marido, su novio o su hermano, «que de esto los pobres no entienden nada», y que aman tanto el sentirse atendidos y guiados por sus compañeras.

Es decir, la publicidad no ha abandonado, ni mucho menos, al hombre como posible víctima, sino que tiende a obrar en él a través de la mujer. Y aunque en tan certera maniobra reside el mayor fraude de la propaganda, también estriba en ello la razón de su prestigio popular, porque en este sentido se perpetúa la más estricta tradición de conservar y reafirmar a la mujer en el sitio y papel que siempre le ha sido asignado de celadora de las buenas maneras, el orden y la higiene, de mediadora entre el varón y el mundo, ese mundo a cuya evolución se dice estarla asomando, cuando lo que en realidad ocurre es que se la confina igual que siempre al servicio de su mantenimiento y lustre.

Y es que la publicidad —digámoslo ya de una vez— es el instrumento adecuado de que la sociedad se vale para conservar a ultranza un estado de cosas que no le interesa que varíen ni un ápice en lo sustancial. Y así, al estarle insuflando a las mujeres, no sólo los cánones de actualidad de su propio comportamiento, sino aquellos a los que el hombre que caiga bajo su más próxima tutela se ha de ajustar, además del papel puramente comercial de vender la camisa o el desodorante, la publicidad está cumpliendo su misión social de reforzar los diques de contención para que nadie se desmande de los raíles del orden y la uniformidad, la de acotar bien los terrenos de lo masculino y lo femenino, impidiendo cualquier visión realmente nueva o liberadora del problema.

Resumiendo: el daño más notable que hace la publicidad a la mujer es el de colmar fraudulentamente su deseo de ser tenida en cuenta y escuchada, alejándola cada vez más de esa independencia liberadora de que tanto le habla.

Nunca, en realidad, se cuida la publicidad de encaminar a las mujeres a independencia alguna, y todas las veces que esgrime la palabra «felicidad» se está refiriendo a la cabal aceptación de un estado de cosas, tal como son y conviene que se sigan manteniendo, en un mundo donde impera el dinero, cuyas sagradas prerrogativas no se puede soñar con discutir. Y así, fomentadas la ambición, los deseos de bienestar personal y de juventud conservada engañosamente, las posturas concordes a ultranza, todos los engaños y corrupciones se mantienen por debajo. La mujer, pueda o no, tiene el deber de ser feliz entre los problemas que le presenta la sociedad donde su marido o su hijo deben y quieren medrar, y aunque no huela ni de lejos cuáles son esos problemas, le bastará con aprender a poner la sonrisa de quien está llamado a contemporizar todas las cuestiones, sin haber ahondado en ninguna.

A nadie puede pasársele por alto una sospecha

bastante esperanzadora: la de que semejantes engaños vayan ahondando el cáncer de la insatisfacción, y no es demasiado aventurado confiar en que tanta patraña contribuya a acelerar una deseable rebelión, ya que a nadie que desee destacar, a nadie que busque de verdad (más o menos torpemente, con mayor o menor grado de inquietud y ahínco) romper con los lazos de mansedumbre tradicionalmente inherentes a una condición satélite, que cada día es más agobiante e inaceptable, puede satisfacer esa «personalidad» que le encasquetan a modo de camisa de fuerza.

Cabe, pues, esperar que esta reacción contra tanta mentira no tarde demasiado en producirse y que las mujeres terminen por darse cuenta palmariamente, y de una vez para siempre, de lo que parece tan obvio señalar: que obedeciendo a los imperativos de la propaganda no hacen más que arraigar su dependencia, su mimetismo y su vocación penitencial. Porque, dando oídos a la publicidad, la mujer no se independiza de nadie, sino que simplemente cambia de mentor; y la autoridad aparentemente inocua, pero firme e insoslayable de este nuevo manejador invisible de su voluntad, no se desasemeja tanto de la autoridad coactiva ejercida sobre nuestras abuelas por padres, maridos y confesores.

Cuadernos para el Diálogo, diciembre de 1965

Para Jubi Bustamante

Como reacción al papel pasivo e inmanente que la Historia ha venido asignando a las mujeres en la representación matrimonial, se asiste en nuestros días a una rebelión indiscriminada que, como todas las falsas revoluciones, se caracteriza por atender más a la retórica de las consignas revolucionarias y a estar al corriente de su jerga que a operar en terreno adecuado e intrínseco a la cuestión. Es decir, se trata de una revolución que se lleva a cabo desde fuera, no desde dentro. Y al decir «dentro», no me estoy refiriendo a que haya que estar metido en el espeso caldo de la convivencia conyugal para hablar del daño que pueda hacer. Por supuesto que estar físicamente fuera de una situación perturbadora, caso de que se quiera entender y penetrar, es más conveniente que estar dentro de ella. A lo que me refiero, precisamente, es a que no me da la impresión de que se quiera penetrar nada de aquello que se está diciendo derribar, derribo que no pasa de ser el de una efigie. Creo, en verdad, que se desestiman demasiado y se temen sorprendentemente poco una serie de vicios que están en la raíz no solamente de las relaciones matrimoniales, sino de cualquier posible relación de convivencia que no sea muy exigente y cuidadosa. Y en estos vicios corren el riesgo de estar incurriendo, una y mil veces, quienes no cuentan con ellos ni los analizan, quienes tienden a creer, con entusiasmo bobalicón, que las cosas cambian cuando se les cambia, con mucho alboroto y zaragata, el nombre por el que se las había venido tradicionalmente conociendo, y que el flamante letrero con que se las rebautiza es portador de prerrogativas milagrosas y terapéuticas, conferidas a la mera imposición.

No son los remedios tan simples, ni mucho menos. Como decía un amigo mío: «Lo más sospechoso de las soluciones es que se las encuentra siempre que hacen falta». Y no es preciso reflexionar demasiado para reparar en que esas mujeres liberadas del matrimonio, es decir, que tras haberse incorporado —en general de modo bastante furtivo— a la vida conyugal han dado por superada tal experiencia y renegado de ella, no siempre han aplicado a fondo su inteligencia y su buena fe para habitar y transformar una situación a la que en muchos casos quisieron acceder simplemente porque la sentían prestigiosa y no se resignaban ni se atrevían a bandeárselas en la vida a cuerpo limpio, sin andadores ni espaldarazos de nadie. Y resulta sintomático comprobar que el rechazo de estas renegadas suele ser más ostentoso y agresivo cuanto más breve ha sido el período de la experiencia y menos se han comprometido a nada dentro de él y más lo han tomado como un estadio o plataforma para acceder a soñadas y utópicas libertades. De hecho, siempre, incluso en épocas en que la autoridad del marido pudiera parecer insoslayable, una casada ha sido más tenida en consideración que una soltera, se ha sentido más persona, más segura y de ahí, entre otras razones, el afán de las mujeres por casarse. Toda la literatura española nos muestra cómo la autoridad del marido era más fácil de burlar que la del padre y que las casadas, por el mero hecho de serlo, habían ascendido a un rango desde el cual podían otear mejor sus posibilidades de libertad, por limitadas y monótonas que éstas fueran, ya que, por desgracia (como en gran medida sigue aún pasando hoy), se reducían a la evasión por el sexo. Ruiz de Alarcón nos dice en *La verdad sospechosa*:

> *Otras hay cuyos maridos*
> *a comisiones se van,*
> *y que en las Indias están*
> *o en Italia entretenidos.*
> *No todas dicen verdad*
> *en esto, que mil taimadas*
> *hay que se fingen casadas*
> *para vivir con libertad.*

Fingirse casada para vivir con libertad era, en el fondo, lo mismo que es ahora presumir de una libertad que ha otorgado el hecho de casarse primero y renegar de ello después. Renegar con una agresividad, por cierto, tan excesiva que hace pensar si en algunos casos no será la ostentación de ese reniego el fundamental designio de la revolución que nos ocu-

125

pa. Designio bastante inerte si se piensa que esa exhibición viene siendo como un pasaporte no para la libertad, sino para el ingreso en un nuevo gremio que ya se está formando. Porque ocurre que las pancartas y clamores han empezado a institucionalizarse, y al responder a estímulos miméticos y perder el impacto de la excepcionalidad amenazan estas protestas con perder su contenido y constituir una nueva rutina, apenas diferente de la de reñir a los niños o a las criadas, con quedarse, en fin, en meros gritos exasperados que se diluyan sin eficacia ni relieve entre los de las demás mujeres liberadas, especie que de unos diez años a esta parte se ha venido abriendo paso a codazos y de forma progresiva en el seno de la fauna hispánica.

Por desventura, y es a lo que voy, pocas de entre ellas son las que hacen uso de esa libertad que a todas horas hablan de estar conquistando para preguntarse, al menos con la curiosidad que da la distancia, por la naturaleza de aquella trampa en la que cayeron; pocas las que quieren considerar el asunto sin agresividad y con sosiego.

El sosiego es palabra «tabú», odiado y viejo ídolo contra el que la insurrección se revuelve de preferencia y al que nadie se acerca sino para pisotearlo con encono una vez derribado. El sosiego, estado de ánimo imprescindible y previo a cualquier consideración atinada, ha venido siendo confundido por las mujeres, a lo largo de su lamentable historia, con la pereza, el hastío y la pasividad que las impedía hacer uso de él; no les interesaba ni les servía para nada, era

126

un cofre cerrado sobre su tocador. Y las mujeres de hoy, herederas de aquellas náuseas, arrojan el cofre como un adorno inútil sin querer abrirlo ni sospechar el tesoro que contenía, con lo cual se ven más lejos del sosiego que nunca. Tienen demasiado cerca la sensación de haberlo descartado de sus vidas como el peor enemigo como para que se les ocurra pararse a pensar sobre la esencia de tal pretendido enemigo. Se embriagan en sus desasosiegos, en esas conquistas de poder entrar y salir, de protestar y agitarse, de consumir energías en seguirse rebelando, de estar fuera y nunca dentro, nunca «en sí».

Pero, al filo de tanto alboroto, anida el fracaso de estas conquistas, que solamente tendrían sentido si las mujeres, liberadas del matrimonio, hubieran puesto su meta en acceder a la soledad, es decir, al difícil ejercicio de saber aguantarse a sí mismas. El miedo a la soledad y a la independencia las lleva a sustituir el matrimonio por una serie de ensayos consecutivos de convivencia cuya fugacidad no impide que en el seno de cada uno de ellos germinen, casi indefectiblemente, dos de los sentimientos que más fomentados han sido por la institución conyugal y que, a su vez, más la han apuntalado a ella: el afán de posesión y el deseo de dejar raíces en alguien.

El matrimonio, como contrato que es, lleva aparejada la conciencia de que si se da algo es a cambio de algo y que, por tanto, lo que se recibe nos pertenece. Así que en gracia de una firma, un anillo o una bendición, se ha llegado a ver como lícito algo tan ilícito como pedirle cuentas a otro de lo que nos da a base de pasarle la factura de lo que le damos nosotros, tratando de asegurarse, mediante reproches, exigencias y encomios los enclaves que se querrían tener perpetuamente en un terreno cuya propiedad nadie puede venir a discutirnos jurídicamente cuando viene refrendada por papeles y documentos de legitimidad ancestral. Pero vemos a diario que no es precisa la existencia de tales documentos, que hoy tienden a negarse, quemarse y ridiculizarse, para que los esquemas que anidaron a su amparo y dieron su peculiaridad a la institución del matrimonio reflorezcan en cuanto dos personas deciden vivir juntas por algún tiempo. Los juramentos de fidelidad eterna que caracterizaban el matrimonio tradicional se sustituyen por los de dejarse los juramentados en mutua libertad, y se hace gala verbal de estos principios entre los fieles de la misma secta. Pero ni se miden las fuerzas ni se aplica ninguna disciplina a trabajo tan arduo; lo que importa es hacer una letra más grande que la de los demás al pintar el letrero donde dice que ninguna relación humana tiene que criar celos, costumbres ni ataduras. Y bajo esta prescripción externa y draconiana se ocultan, avasallan y desvían una serie de sentimientos que nacen aunque se les haya negado el permiso, una gusanera de pasiones bastante afines en resumen a las que se enmascaraban bajo el programa de la fidelidad a ultranza. No sería escasa señal de cordura el tener miedo de esos sentimientos desconocidos u ocultos y contar, cuando menos, con las malas pasadas que pueden jugar, y la prueba está en que los conflictos y descontentos que origina el hecho de confinarlos a un pudridero sin ventilación da hoy a los psiquiatras tanto quehacer como a los confesores de nuestras abuelas diera la brega con aquellos «demonios» que a sus penitentes no liberadas se les habían metido en el cuerpo.

En cuanto al afán —mucho más noble que el posesivo— de dejar raíces en otra persona, de perdurar en ella, es muy curioso constatar que, cuando el interés por el comportamiento sexual del compañero ha perdido su interés primero de descubrimiento, el método principal de pedirle aprecio y confrontación a la propia imagen, de sentirse, en suma, recogido por él, ha sido siempre, y sigue siendo, el de pedirle atención hacia las palabras que se dicen, pedirle conversación.

Es proverbial el tipo de la esposa charlatana, deseosa de ser escuchada y es bien sabido la ofensa que supone un marido o un esposo distraído y silencioso, al que se suele reprochar que, en cambio, con los demás amigos sí tiene conversación. En nuestra literatura clásica, los maridos llaman a la propia esposa su «oíslo». Yo, la primera vez que lo leí en Cervantes no lo entendía y, luego, cuando alguien me explicó que aludía a una muletilla que usaban las mujeres del tiempo, me hizo mucha gracia imaginarme la frecuencia con que tendrían que haberla deslizado en sus conversaciones matrimoniales (¿Oíslo,

Fulano?) para que esta forma verbal hubiese llegado a expresar el vínculo matrimonial mismo. La baza de la comunicación oral, de conseguir aprecio por tales vías es, en verdad, más difícil de jugar que ninguna. El éxito de la sultana de *Las mil y una noches* residió, como es sabido, en su talento narrativo, en que tenía cosas que contar y sabía contarlas bien. Es bien seguro que no tuvo que llamar la atención de su señor con ningún «oíslo» encaminado a espabilarlo, cuando la mera interrupción de sus relatos, que deliberadamente dejaba incompletos de una noche para otra, cautivó a su amado más que todos los refinamientos de lascivia usados por sus antecesoras.

Pero, dejando por ahora este tema, bien interesante por cierto, de las dificultades que acarrea esta empresa de convertir el amor en conversación, volvamos al desasosiego de las mujeres liberadas del matrimonio, oscilando perpetuamente entre reírse del amor y añorar sus ataduras, entre querer la libertad y no saber qué hacer con ella, penetradas del miedo a comprometerse. Esta zozobra resulta conmovedora cuando se cae en la cuenta de que, por otra parte, el problema fundamental de las mujeres liberadas del matrimonio, sobre todo si han pasado de los treinta años, estriba en su íntima añoranza de las raíces que no han sabido dejar en nadie, en la pesadumbre por no haberse sabido comprometer. El anhelo de perdurar en otro, ese contar con que alguien guarda nuestra imagen con todas sus contradicciones y quebraduras, que no es, en definitiva, sino un prurito de coherencia y continuidad, se ve contradicho, desbaratado y fragmentado a lo largo de las múltiples experiencias acometidas con frenesí para vengarse del matrimonio, y donde la propia imagen, por estar sometida a semejantes tensiones, no ha logrado cuajar.

Y es muy curioso comprobar cómo hoy, que se tacha de anticuada la fidelidad y que la capacidad de preferir, de aguantar, de apostar por una carta elegida deliberadamente son negocios desprestigiadísimos, se añoren, sin embargo, las raíces resultantes de tal tesón.

En el fondo, no es cuestión de instituciones, ni de títulos, ni de modas, sino de entender que el relacionarse con los demás es siempre arriesgado y condicionante, pero también enriquecedor. Y que hay que elegir entre estar con los demás o estar solo.

Partiendo de la base de que cualquier relación, por breve que sea, si es humana y no maquinal, ha de crear conflictos y ataduras, es claro que el que no se comprometa y viva escurriendo perpetuamente el bulto ni recibirá nada ni dejará raíces en nadie, y para eso más le valdría vivir solo y aceptar esa soledad sin más sucedáneos, hacerle cara en serio de una vez. Que no es tan fácil.

O se asumen las ataduras o se asume la soledad. No creo que haya más alternativas. Porque, como dice un refrán de mi tierra, que me parece que viene como de molde para terminar, «Papas y sorber no puede junto ser».

Triunfo

De madame Bovary a Marilyn Monroe

En la primavera de 1856, un escritor francés provinciano, de salud precaria y enorme fuerza de
voluntad, casi desconocido, pero ambicioso de noto-
riedad y de gloria, daba los últimos retoques a una
historia que se traía entre manos desde hacía cinco
años y que estaba llamada a ser tan viva y apasionante
como la más real de las historias. Su protagonista era
(y es, porque nos la seguimos encontrando rediviva
por todas partes) una mujer incapaz de mirar la
realidad ni de aceptar el agobio que le producía
sentirla rondando en torno suyo, continuamente en
pugna con sus vagos y apasionados anhelos. La
historia terminaba con el suicidio de esta mujer que,
por haber llegado a ser tan de carne y hueso como cualquier personaje no inventado, murió después, como digo, en 1856, a causa de haber ingerido
voluntariamente una fuerte dosis de arsénico, en
Yonville, lugar a ocho leguas de Rouen, donde su marido —que la adoraba— ejercía de médico rural. Murió en la plenitud de su belleza y de su edad, deseada
por cuantos hombres la habían visto, tanto por los
que la llegaron a tener en sus brazos como por los que
no: se llamaba Emma Bovary.

Un siglo más tarde, en el verano de 1962, por
agosto creo que era, todos los periódicos traían una
desconcertante y sensacional noticia: de resultas de la

ingestión de un tubo entero de Nembutal, una mujer nacida treinta años atrás en un miserable barrio de Los Ángeles, y apuntada en los registros como Norma Jean Baker Mortenson, había aparecido muerta, tendida en la cama de un lujoso apartamento de Hollywood, con el brazo alargado hacia el teléfono. La belleza de su cuerpo y de su rostro eran irresistibles, hablaba y se movía con descaro, se había casado tres veces y era en aquellos momentos una de las actrices más populares y cotizadas del mundo. El nombre que le había dado la fama era postizo y bajo él quiso cubrir y olvidar las imágenes de su horrible infancia; un nombre que, al desaparecer ella, dejó detrás de sí, unido a su peculiar tintineo, ese hondo rastro de perplejidad y malestar que a todos nos perturba cada vez que, por azar, vuelve a surgir de repente, de las páginas de alguna revista, la carcajada provocativa de aquella guapísima chica rubia que nadie había dudado en proclamar como reina del impudor y el desenfado, la *pin-up* por excelencia, continuadora en el cine de la línea erótica creada por Jean Harlow. A la suicida de 1962, en efecto, todos la conocíamos por ese alegre nombre que, al saltarnos hoy a la cara, parece salpicar alguna parcela de nuestra conciencia. Era su nombre de batalla y de muerte: Marilyn Monroe.

En el plazo de tiempo transcurrido entre estas dos muertes, y posiblemente, en parte, a causa de la repercusión que tuvo el claro análisis hecho por Flaubert del proceso psicológico que dio lugar a la primera de ellas, se ha venido parando mientes con creciente alarma en el ocio de las mujeres. Es sabido que los alicientes inventados por la sociedad para esquivar este peligroso escollo se multiplican cada día con mejor o peor fortuna, y que aumenta también la lista de quehaceres a los que una mujer —sin que nadie tenga que tacharla por ello de fantasiosa ni excepcional— ha podido llegar a dedicarse. ¡Qué gama de posibilidades tan inconcebible para madame Bovary! Un mundo de posibilidades que habría fascinado su pobre mente atónita, siempre a merced de la inercia y solamente capaz de adherirse a lo insospechado, a lo mágico. Recordemos aquellos paseos que daba por el campo, de recién casada, en compañía de su perrita, cuando ya la casa empezaba a caérsele encima; cuando, decepcionada del amor conyugal, evocaba sus lecturas juveniles y se consu-mía en deseos de adivinar «lo que significarían exacta-mente en la vida las palabras de felicidad, pasión y embriaguez que le habían parecido tan hermosas en los libros»; salía al campo no para verlo, sino porque soñaba con acontecimientos maravillosos que al aire libre podrían tener lugar; porque se ahogaba en casa, porque, mientras su marido estaba trabajando, ella no lograba interesarse por ningún quehacer que exigiera concentración y sosiego («le pasaba con sus lecturas como con sus labores, que, una vez comenzadas, se le iban amontonando en el armario; las cogía, las volvía a dejar, empezaba otras»); salía para dejar de ver el busto de Hipócrates y «el eterno jardín con su

camino polvoriento», por puro afán de huida y, ya
una vez lejos de la casa, sentada sobre el césped,
mientras lo hollaba distraídamente con la punta de la
sombrilla y veía a su perrita dar vueltas persiguiendo
mariposas, se preguntaba si su vida no habría podido
ser otra. En absoluto se le ocurría preguntarse si
habría podido participar ella en provocar tal cambio
ni buscaba dentro de sí alguna fuerza que pudiera
estar aletargada; se limitaba a acariciar la idea de que
ciertas combinaciones del azar hubieran podido dar
lugar a un destino diferente. Llegaba a envidiar a sus
compañeras de colegio, a pesar de que no conservaba
de ninguna un recuerdo preciso, sólo porque estaba
convencida de que la suerte las habría tratado mucho
mejor. «¿Qué harían ahora? En las ciudades, entre el
ruido de las calles, el ajetreo de los teatros y la luz de
los bailes, vivirían con el corazón dilatado y los
sentidos en continua expansión. Pero su existencia,
en cambio, era fría como una buhardilla con tragaluz
al Norte, y el hastío, araña silenciosa, tejía su tela en la
sombra, por todos los rincones de su corazón.» Si de
pronto un día, en medio de tales reflexiones, por uno
de aquellos prodigios que siempre parecía estar esperando que acontecieran llovidos de las nubes, le
hubiera sido concedido a Emma Bovary mirar por
una bola de cristal y conocer a Marilyn Monroe, así,
sin más ni más, destrozar las barreras del futuro
alzadas para aislarla por siempre jamás de ella, topár-
sela allí al fondo del vidrio en carne y hueso, tumbada
sobre pieles de leopardo, reflejada en espejos de tres

cuerpos, posando con su larga pipa de *vamp* para docenas de fotógrafos, llegando entre una multitud ávida de autógrafos a los estrenos de sus películas, tan llamativa y fastuosa, contestando a los periodistas con aquel cinismo superado a fuerza de naturalidad («¿Qué se pone usted para dormir?» «Chanel número cinco»), poco le habría importado a Emma Bovary, reacia a cualquier tipo de análisis, preguntarse por el precio que habría tenido que pagar Norma Jean Baker para llegar a ser aquella fascinante Marilyn que hacía carne de cañón de su propia carne; poco le habría importado averiguar si su madre, Gladys Baker, que la parió de soltera, había perdido o no la razón poco después; ni si a la niña Norma, malcreciendo en hogares de vecinas, un caballero de familia conocida (razón por la cual se echó tierra al asunto) la había violado o no a los nueve años. Emma Bovary, en fuga perpetua de su propia realidad y de cuanto pudiera darle noticias de ella, poco se iba a meter a hurgar en la de ese otro mundo hostil, planeando al acecho sobre aquella mujer cuyo descubrimiento la deslumbraba; solamente se le habría ocurrido dirigirse a ella como a una deidad, como al hada madrina de la varita mágica, e hincada de rodillas ante su aparición le habría preguntado con vehemencia: «Pero, ¿es posible? ¿es cierto que se puede vivir así? ¿Y yo, dime, y yo? Dime en seguida lo que tengo que hacer para ser como tú, para comprarme esas ropas y esas pieles y esos espejos, para ver tanta luz como ves tú, para andar con ese aire de desafío con que tú andas y conocer a tanta gente como tú conoces, para que me inviten a las mismas fiestas, para aprender a echarme en la cama y fumar y reírme y oler igual que tú, para despertar tanto deseo como tú despiertas; óyeme, por favor, te lo suplico; quiero ser como tú, vivir como tú vives». Y tal vez Marilyn, levantando la vista hacia aquella provinciana exasperada de la sombrilla, entornando los ojos para mejor mirarla desde lejos —desde el extremo de los ciento seis años que las separaban—, podría haber respondido a tan singular perorata con una *boutade* muy de las suyas: «Oye una cosa, encanto, ¿y morirte como yo también te gustaría?».

De dos vidas tan aparentemente opuestas podría, en efecto, sospecharse cualquier cosa menos que iban a tener idéntico final. Pero deteniendo la mirada un poco más profundamente en el asunto puede no parecer tan extraño lo que voy a añadir: que esa identidad entre los suicidios de madame Bovary y de Marilyn Monroe no es accidental, sino que alcanza a las enredadas causas que los motivaron y que los venían haciendo sospechables desde mucho tiempo atrás, no porque tales causas fueran argumentalmente las mismas, desde luego, sino porque los errores fundamentales arraigados con idéntica fatalidad en la trama de aquellas dos vidas eran muy similares. Creo, en definitiva, que el paralelo entre madame Bovary y Marilyn Monroe no sólo puede hacerse considerando sus muertes, sino también sus vidas, regidas por vaivenes exteriores muy diversos, obedientes a muy distintos modelos de comportamiento, referidas a cánones de triunfo y fracaso que, aun cuando no fueron los mismos, se parecían en lo esencial: en que les venían impuestos desde fuera y en que no los supieron esquivar ni cuando nadaban al pairo de ellos ni cuando a contracorriente; vidas, en fin, que se les fueron de la mano porque ellas no las supieron aguantar ni dirigir, porque no fueron capaces de dar con sus riendas, vidas de rienda suelta, sin dueño, padecidas las dos, no habitada ninguna de las dos.

Releyendo, por ejemplo, el capítulo IX de la segunda parte de la biografía de madame Bovary, se da uno cuenta perfectamente del mimetismo esencial del personaje. Es uno de los momentos cruciales del relato. Emma, cuya necesidad de concebirse como otra distinta de la que es ha llegado a su punto culminante, acaba de entregarse a un seductor profesional, Rodolphe Boulanger, del cual no opina nada concreto porque solamente lo ha visto en función de la serie de emociones sucesivas que ha venido despertando sabiamente en ella. Es un acontecimiento muy significativo que va a configurar totalmente —ella lo intuye— los nuevos derroteros de su vida; ha sido una esperanza acariciada a lo largo de muchísimas horas de exasperación y tedio. Y, sin embargo, esto que ha ocurrido, ¿lo ha querido ella por un movimiento autónomo de su voluntad o por obediencia a dictados y modas cuya validez nunca se le ha ocurrido andar poniendo en tela de juicio? Veamos la luz que nos arroja Flaubert, su biógrafo, sobre esta cuestión tan fundamental. Nos la describe mirándose al espejo, a raíz del soñado prodigio, maravillándose de la transformación operada en su rostro, de la desconocida profundidad de su mirada: «¡Tengo un amante! ¡Tengo un amante!, se repetía, deleitándose en esta idea como en la de una nueva pubertad que le hubiera sobrevenido. Así que, por fin, iba a conocer aquellos goces de amor, aquella fiebre de dicha que ya había desesperado de poder alcanzar. Estaba accediendo a algo maravilloso, donde todo iba a ser pasión, éxtasis, delirio...; la existencia corriente no se vislumbraba más que allá abajo, a lo lejos, en la sombra, entre los claros de las alturas. Se acordó entonces de las heroínas de los libros que había leído y el cortejo lírico de estas mujeres adúlteras se puso a cantar en su memoria con voces fraternas que la fascinaban».

Está dicho con toda claridad: no le interesaba el amante, sino la imagen que ella componía al tenerlo; su comportamiento se limitaba a acoplarse a modelos que había puesto en boga el romanticismo, al reconocerles a las mujeres su derecho a la pasión. Flaco servicio. Todas aquellas heroínas de los libros que ahora sentía hermanas suyas, y a las que desde niña había deseado parecerse, se habían dejado arrastrar desenfrenadamente por violentas pasiones, y la moda del tiempo les aplaudía y fomentaba ese sistema de enmascaramiento cuyas consecuencias pagamos todavía; de la misma manera ella, que «rechazaba como inútil cuanto no contribuyese a la consunción inmediata de su corazón», estaba condenada ya de ahora en adelante a exaltar y magnificar las emociones que el acceso a ese mundo mágico le tenía que proporcionar; emociones prejuzgadas de antemano, como paisajes mirados por los ojos bobos de esos turistas que sólo son capaces de ver lo que trae la guía; evasiones, caminos de ceguera que cada vez habían de alejarla más de sí misma y del mundo. En ese momento, pues, de la historia, cuando Emma Bovary se está mirando al espejo después de la entrega de su cuerpo —y ella cree que su alma— a su primer amante, está contenido ya el germen de todas sus decepciones y errores sucesivos, queda irremediablemente iniciado el proceso de desintegración de su persona que culminará en la destrucción final. Llegará un momento en que el cerco de la realidad será para ella tan estrecho que, aun cuando siga sin mirarla y en esa ignorancia muera, notará que no le sirve ninguna extravagancia de las que antes inventaba para justificar y sublimizar sus excesos pasionales, para darles nuevo aliciente. La imagen de sí misma, que tan celosamente modeló y en cuya complacencia se había venido alimentando, se le hará abiertamente añicos contra el suelo y se verá obligada a sentirlo así. Esto ocurre en el capítulo vi de la tercera parte de la historia, coincidiendo con los estertores de su relación amorosa con el joven abogado Leon Dupuis. Apuntalar a la desesperada esta relación, empeñarse en seguirla viendo como algo excitante y maravilloso, ha llevado a Emma a las mayores degradaciones. Hasta que un día tiene que confesarse que «no era feliz, no lo había sido nunca. ¿De dónde venía aquella podredumbre fulminante de todas las cosas sobre las que se apoyaba?... Nada valía la pena de ser buscado, todo era mentira. Cada sonrisa oculta un bostezo de hastío, cada alegría una maldición, cada placer un fastidio, y los mejores besos apenas si alcanzaban a dejar en los labios el irrealizable anhelo de voluptuosidades más altas».

Y, sin embargo, a pesar de esta breve ráfaga de lucidez, Emma Bovary murió en la mentira, creyendo que se envenenaba por la desesperación totalmente anecdótica de no encontrar dinero para saldar sus deudas; ciega, como había vivido siempre, y agarrada hasta el final histéricamente a cuanto le permitía seguirlo estando. No supo, lo quiso olvidar, que se mataba porque su imagen se le había roto y porque ella no era capaz de buscar su identidad en otra imagen nueva y menos falsa. No era que nada valiera la pena de ser buscado tanto como que ella era incapaz de buscar nada más que por los caminos de la mentira.

A Marilyn, según parece inferirse (y nos tendremos que quedar siempre en las suposiciones, a falta de un biógrafo de la talla de Flaubert), su imagen se le debió romper y volver inservible a raíz de su tercer matrimonio con el escritor Arthur Miller, en 1956. Los modelos que en su infancia le habían sido suministrados para componer esa imagen brillante y triunfadora yo los conozco bien, porque soy de su

142

misma quinta. No venían de Pablo y Virginia ni de mademoiselle de Lespinasse, sino del cine, de aquel olimpo inalcanzable y fascinador que era en nuestra infancia la pantalla, mucho más que ahora. Marilyn en Los Ángeles y yo en Salamanca nos escapábamos al cine a la menor ocasión; vivíamos en el cine, soñábamos en el cine, llorábamos en el cine y, al salir del local, la vida era oscura y vacía; nada había ni podía haber comparable a los besos que sabían dar Greta, Marlene, la Crawford y Jean Harlow, aquellas mujeres distintas y privilegiadas cuyos rostros coleccionábamos en estampitas y que, aunque parecieran de mentira, vivían de verdad en alguna parte del mundo. Marilyn, además, las tenía cerca, las pudo ver al natural alguna vez, pudo parecerle posible el prodigio de llegar a convertirse en una de ellas. «Cueste lo que cueste», se diría. Y ya se sabe lo que le costó, el posar casi desnuda para el fotógrafo Tom Kelly y asumir con cinismo el escándalo que las fotografías levantaron. «¿Por qué lo hizo usted?», le preguntó años más tarde un periodista. «Porque debía tres meses en la pensión», contestó ella. Pero, aunque nadie nos ha dicho que ella prefiriese ese camino mejor que otro, su imagen de *pin-up* en 1956 estaba acuñada irremisiblemente, y cuando se le quebró y empezó a hacérsele insoportable ya era tarde para cambiar de piel. No pudo. No supo. No la ayudaron. Nadie la podía ayudar. Dos años antes de su muerte alguien había hablado de que su personalidad intentaba rebelarse contra la imagen de la *pin-up*, que asomaba otro intento distinto en *Vidas rebeldes*. Pero quedó en intento, porque habría sido un camino muy duro y largo; porque nadie dejaba de ver su cuerpo, su anatomía, aquel estilo que era ya tan inherente a ella. En 1962 se dio por vencida en la lucha. Estaba enferma de los nervios, nadie entendía lo que le pasaba, ya no le podían servir aquellos gestos cínicos y alegres con que había venido amparando su vacío y dando tumbos y palos de ciego hasta llegar a ser esa Marilyn Monroe que veían todos, que no la dejaban entre todos quitarse de encima y cuyas famosas estaba condenada a padecer hasta la muerte. Hubo que interrumpir el rodaje de *Something's got to give* porque a la estrella le pasaban cosas raras. ¿Qué le podía pasar? Nadie lo sabía. «Las crisis nerviosas de Marilyn —ha explicado para salir del paso un biógrafo apresurado—, aureolada por el oropel del triunfo exterior, se hacían más graves y profundas como fruto de la acumulación de sus experiencias personales, súbitamente agudizadas por algún reactivo cuya exacta naturaleza desconocemos.» A Emma Bovary nos han contado que la mataron sus deudas, a Marilyn ese «reactivo cuya exacta naturaleza desconocemos» y que, desde luego, no podían ser las deudas, porque nadaba en el lujo y la abundancia. Los pretextos se encuentran siempre que se buscan, es lo de menos. Estas mujeres son hermanas y su muerte es la misma. Se habían dado a valer mediante la exaltación de su femineidad y no les bastó, hubieran necesitado un aprecio más difícil y más caro. Una murió en la total ceguera, la otra entreviendo algún camino que hubiera podido llevarla a la luz; pero las dos de la misma enfermedad, de la impotencia de aguantarse a palo seco a sí mismas, al fallarles las referencias a la imagen falsa que de sí mismas las habían obligado a componer y que era, a pesar de todo, lo único que tenían, lo único que las sujetaba.

A lo largo de los ciento seis años que separan las muertes de madame Bovary y de Marilyn Monroe, se ha gastado en el mundo mucha tinta y saliva discutiendo hasta la saciedad si las mujeres son más o menos inteligentes que los hombres, si valen o no para los mismos trabajos, si tienen o no los mismos derechos, si su educación debe ser igual o diferente, si propenden más o menos a la pasión; pero debajo de estas interminables discusiones latía y sigue latiendo, sofocada entre tanto vocerío, una cuestión que nada tiene que ver con las leyes, exigencias y soluciones que han venido formulando los feministas y rechazando los antifeministas, ni con tanto clamor y exhibicionismo de libertad, ni con lo conseguido o por conseguir en este campo de batalla que más bien nos huele ya un poco a puchero de enfermo; esta cuestión que, en vista de las revanchas y victorias femeninas, cada día menos se le ocurre a nadie proponerse, sea por recelo o por desorientación, yo me la he formulado muchas veces, y ahora que viene a cuento no está de más sacarla a relucir: ¿por qué las mujeres tienen tanto, tantísimo miedo, un miedo tan específicamente distinto, a la soledad? ¿Por qué se echan en brazos de lo primero que las exima de buscarse en soledad? O, dicho con otras palabras, ¿por qué se aguantan tan mal, tan rematadamente mal —y cada día peor— a sí mismas?

Triunfo

La enfermedad del orden

No hay ninguna cosa que sea en absoluto buena o en absoluto mala; pero de esto solamente nos damos cuenta cuando somos ya mayores, y eso cuando llegamos a darnos cuenta. De niños nos rodean nociones contrapuestas e irreconciliables, en una de las cuales reside el bien y en la contraria anida el mal, sin más salida ni discusión. Y de la misma manera que se nos cría la tendencia a esperar en una película o en una novela la aparición del bueno en oposición al malo, así también cualquier manifestación que se produce a nuestro alrededor la juzgamos y encasillamos con arreglo a esos patrones rígidos e implacables que de niños nos han enseñado. Buscamos con toda seguridad lo negro en una cosa que no es blanca, y raramente nos acordamos de que existe el gris.

A estos mitos de la infancia corresponde, sin duda, la dualidad orden-desorden, que me parece bastante afín con la de sucio-limpio, como ahora explicaré.

Las madres inculcan en sus hijos dos grandes intransigencias, casi dos horrores: el horror al desorden y el horror a la suciedad. Son inculcados como la cosa más urgente, apenas el niño empieza a tener una cierta libertad para mancharse o tirar los objetos al suelo. Son las dos primeras nociones —la de lo sucio y la de desorden— que llevan aparejada una amenaza, que hacen al niño sentirse responsable y malo, es decir, las que hacen nacer en él el complejo de pecado. Por eso las relaciono en primer lugar.

Es evidente que el orden es más cómodo que el desorden y un gran auxiliar para la mayoría de los trabajos; pero debe considerarse así, como un auxiliar para otra labor, como un medio, porque en sí mismo carece de sentido. En muchas personas, sin embargo, se ha hipertrofiado la noción de orden, llegando incluso al punto de desplazar la actividad al servicio de la cual pretendía ponerse, y tomando su puesto. Lo que es un medio lo convierten en un fin, lo que es un complemento para el trabajo y la vida lo hacen la vida misma.

Esta hipertrofia del orden es una enfermedad muy corriente y que me parece grave, como toda desmesura. Conozco continuamente gente la cual, al orden y al método que habrían de ayudarles a desplegar una utilidad, una acción positiva, sacrifican la propia acción, porque la olvidan, y se quedan con el orden en las manos como un recipiente vacío; esclavos y servidores de una cosa que estaba calculada para servirles a ellos. Complaciéndose en su lustre vano.

El orden tiene que ser siempre un punto de partida para una acción. Piénsese en un cirujano, que, antes de empezar la operación, pasa la vista sobre sus instrumentos relucientes y alineados sobre la mesa auxiliar. «¿Está todo en orden? —pregunta al ayudante—. Pues vamos a empezar.» Y lo mismo un general que revista sus tropas y las recuenta y comprueba sus posiciones, antes de la batalla.

Pero enfrente de estos ejemplos, piénsese en la actitud que adopta un ama de casa después de una minuciosa y atareada mañana de limpieza y de ordenamiento de armarios y vitrinas. El orden no le ha servido para empezar nada, se sienta a descansar de su trabajo y a contemplarlo y a complacerse en él; pero no ha reafirmado la utilidad de los objetos que ha puesto en orden y ha abrillantado, sino que ha disminuido sus posibilidades. En efecto, si alguien pretende usar un objeto cualquiera recién limpio y colocado, el ama de casa protestará —esto es frecuente— como si se cometiera un pecado contra la armonía. Muchas veces oímos frases tan inmorales como ésta: «Quedó tan limpio y tan bonito, que me daba pena usarlo», o «Era una tarta maravillosa, con sus velitas, no sé qué nos daba meterle el cuchillo, la dejamos hasta la noche». Esto es perfectamente absurdo, sin sentido.

La tendencia hacia el orden es algo natural. Nadie hay tan absolutamente desordenado (según el criterio común) que no sepa encontrar sus propios objetos, por ejemplo, en una habitación donde se trabaja y se alberga. No se pueden aplicar cánones rígidos para esto, porque cada uno posee sus claves, y a veces un desorden puede ser más aparente que real. Sin embargo, en la mentalidad de algunas personas solamente se concibe un orden objetivo, las cosas sólo pueden estar o hacerse o guardarse de una manera, siempre la misma.

Vuelvo a pensar en el cataclismo que organizan algunas señoras uno o más días a la semana, los llamados de «limpieza general». Todos sabemos que hay muchas cosas que no tienen «su sitio», que un único sitio lo tienen en el lugar donde han estado siempre, donde han sido dejadas por casualidad la primera vez. Pero en estas revoluciones periódicas que conturban la casa hasta sus últimos rincones y ponen en fuga a los ocupantes de las habitaciones, las organizadoras y ordenadoras se complican la vida creando nuevas dependencias y promulgando nuevas disposiciones para este tipo de cosas que están fuera de la ley: botones descabalados, retales, programas, cajitas de medicinas, recordatorios, piececitas de algo que se ha roto y mil cosas que no se suelen tirar a la basura, como sería lo adecuado, porque se piensa en que el día de mañana pueden hacer falta. Y claro está, que el día de mañana, aquello que se busca, de tan guardado, no suele aparecer. O da pereza buscarlo, acertar a imaginar dónde estará entre tantos cajones y subcajones, mil veces revisados y cambiados de menester. De cada expurgo se derivan estériles problemas y decisiones, hasta discordias.

—Juan, ¿es tuyo esto? ¿Lo necesitas?

Y al que huía hacia un lugar menos inhóspito le persiguen hasta la puerta enseñándole el objeto acusador, hallado en un cajón que no le correspondía. Y él se siente incómodo y dice que no sabe o que le da igual, y llega a no saber en qué cajón tiene que poner las cosas, porque todos —de tan especializados— se los siente tupidos, prohibidos, completamente extraños.

En el orden doméstico, correlativa a esta manía de guardar y quitar de en medio los objetos (a veces avergüenza su aparición como algo impúdico), está la obsesión de limpiar el polvo. No comprendo que se pueda llegar a criar tanta saña y rencor contra un enemigo tan neutro como el polvo. Se sabe que el polvo, aunque se quite, vuelve a venir: es, como si dijéramos, una enfermedad benigna pero crónica. Entonces, ¿por qué dar esa trascendencia al menester de quitarlo; por qué esta pugna y esta irritación? A muchísimas mujeres les irrita el polvo de un modo patológico, no lo pueden ni ver, es el personaje central de sus odios, el motivo de voces y reyertas; se vanaglorian de no haberlo dejado amanecer ni un día en su casa, de haberlo acechado sin tregua y arrojado. Y recogerlo, darle captura, trae consigo desplegar mucha ceremonia; se convierte el menester en una asignatura llena de ramas, que nadie puede aspirar a aprobar si no ha trabado conocimiento detallado con el manejo de moqueta, cogedor, escobón, escobilla, plumero, plumerín, zorros, bayeta, esponja y cepillo para el lustre. Cada cosa para lo suyo, en una compleja red de especializaciones.

Hay mucha gente limpia y ordenada, pero de un modo justo. En la medida en que es necesario. Suele ser gente ocupada, para la que el tiempo es una riqueza; gente sobria. Ellos no hacen una religión de estas cosas, el orden es una cosa simple, como la limpieza, sin complacencias ni retorcimientos. Si barren con una escoba, o riegan con una palangana, esta escoba y esta palangana les pueden valer también para otros oficios, sin que ni el utensilio ni el que lo usa se sientan desdorados por ello. Les vale todo lo que tienen, todo es preciso y juega papeles serios, y lo que no les vale, lo tiran. Y cualquier utensilio es limpiado y puesto a buen recaudo porque se desea cuidar y conservar su función, porque se respeta su valor real. Este orden es adecuado, no superfluo.

El orden no debe ser nunca algo inerte, porque repugna a su propia condición de medio, de ayuda y acicate. Y esto es lo que debe añadirse a la noción demasiado rígida que nos inculcan de niños de que el orden es una cosa buena y el desorden es una cosa mala.

En principio estamos de acuerdo; pero esta noción tragada sin analizar, agrandada, convertida en mito, puede hacérsenos una enfermedad grave si no se ataja a tiempo, un cáncer que viva a nuestras expensas y que poco a poco nos vaya sustituyendo.

Medicamenta, julio de 1958

Pasadas las aglomeraciones de enero, que tupían la entrada de las tiendas en cataclismo de rebajas y dificultaban el libre deambular por su interior, las señoras, las verdaderas señoras, se han lanzado a la calle. Recién abandonado un gesto descompuesto de nervios o de hastío que se han sorprendido en el espejo al darse el último toque de *rouge* y que las ha alarmado, porque vuelve a marcar esa arruga tan fea de la boca que ya iba desapareciendo. Y a la amiga le presentan un rostro nuevo, estirado, cuando la abrazan.

Suelen hablar un poco de los hijos; de la montaña de preocupaciones que dejan atrás. Si tienen alguna hija que empieza a ser mayorcita, en describir su buena facha se complacen, en sacarle parecido con alguna ingenua del cine italiano, y luego suspiran un poco.

Es una edad muy mala, desde luego. Los pequeños dan menos cuidado. A los pequeños se les manda al parque con la señorita. Crecen allí con sus gorros de terciopelo y, de vez en cuando, a través de los barrotes, miran el hormigueo de la ciudad como un ensueño borroso. Pero las niñas, desde los ocho años, ya le andan espiando los maquillajes a su madre y les gusta leer el nombre de los tarritos; le cuentan a sus amigas que su mamá está haciendo una cura de

153

injerto de células y vitamina B. Y se vanaglorian.

Las señoras se encaminan a los grandes almacenes, a las grandes vitrinas de las casas de belleza. Un febrero muy tibio ha asomado. A la grupa de las motos, por la calzada, en las terrazas de los cafés, las muchachas lanzan un grito avanzado de primavera con sus chaquetas y sus faldas ajustadas. Las piernas bonitas, las caderas bonitas, resucitan por todas partes, y ponen un garfio de inquietud en la conciencia de las señoras, que se ven abrumadas por la perspectiva de una ardua y paciente obligación, a la que, sin embargo, han prestado ya fidelidad y casi juramento.

«Es cuestión de paciencia —se dicen a sí mismas—. Es cuestión de paciencia.»

Por todas partes miles de voces crecientes y acordadas vienen a despertar en sus conciencias, con el aviso de la primavera, la tendencia a creer en el milagro. Hasta las que se habían reído, años atrás, de semejantes voces, llegan, paso a paso, a verse tocadas por esta especie de religión que gana prosélitos en masa, en oleadas, y, aunque sea secretamente, muy pocas señoras —verdaderas señoras, se entiende—, de los treinta a los cincuenta, se niegan ya a sí mismas la conveniencia y hasta la necesidad de prestar oído a estas voces mágicas que se infiltran por doquiera.

De los escaparates, de las grandes páginas de las revistas ilustradas, de los filmes y la televisión, saltan, en imágenes, promesas risueñas y tentadoras, que afirman y dan cuerpo a esta creencia: se puede conservar eterna juventud. Ahora no es como antes; es todo tan científico. Toda la cosmética se ha puesto de acuerdo para fortalecer sus posiciones, para barajar nombres de hormonas y extractos vegetales, para presentar ampollas de mal olor, para desplegar un aire ligeramente médico, que convence y seduce, que rinde las voluntades.

A los maridos que no les gustan los pringues, se les puede contestar dando nombres rotundos, que no suenan a frívolo. Esto es mucho más serio que hace un puñado de años; mucho más serio. Son tratamientos. Un tratamiento es algo necesario, admitido como la más elemental regla de higiene. La naturalidad y franqueza con que muchas practicantes del nuevo rito se dan consejos y direcciones, se pronuncian nombres americanos y se enseñan unas a otras tornasolados recipientes de untura, va minando la resistencia de las más indiferentes, que terminan por aceptar como algo necesario un nuevo hueco en el presupuesto para este tipo de adquisiciones.

Ahora que empieza el tiempo hermoso, que se va a poder empezar a salir a cuerpo, han hecho un frente común las amigas y las empleadas de la peluquería para sacudir los escrúpulos de la incrédula que se encoge de hombros ante estas novedades milagrosas. No puede ser abandonarse; no puede ser. Con el trajín que se tiene, la vida que se lleva, la maternidad. Como no te cuides un poco. Como no se cuide usted un poco. El cutis está estropeado. Hay que reducir grasas, arrugas, asperezas de la piel. Ya no vamos siendo unas niñas. Es tan fácil con los aparatos de ahora; son tan patentes los progresos. Y luego, que existe la obligación. Así, como suena, hija mía: la obligación. Hasta al confesor se lo puedes preguntar. Y se esgrime el supremo e irrebatible argumento, estrujado hasta la saciedad en todas las páginas de consultorio femenino, en esas páginas confidenciales y excitantes que se leen en un bisbeo; y este argumento, que es el de la posible infidelidad de los maridos, hace correr un dulcísimo calambre de alarma por la espalda de las señoras más reacias. Y van entrando en la marejada de la convicción general. Hay que seguir gustando a los maridos. Hay que ponerse a la altura de las otras mujeres; no perder terreno. Es urgente. Va a venir la primavera, el tiempo del engaño y de la juventud; hay que desenmohecer las armas; afilarlas, es cierto. Renovar. La idea fija vuelve como un zumbido: renovar, renovar. Hasta las mujeres más pudorosas, las que aún no se atreven a confesar a nadie que están a punto de caer en el hechizo, salen a la calle en estos días mejor dispuestas. A dejarse prender por la alusión que a cada paso estalla.

—¿Vamos de escaparates?

—Bueno. ¿Tú qué tienes que mirar?

—No sé. Varias cosas. Quiero echar un vistazo, orientarme. Lo de los zapatos de Quiqui lo dejo para otro día.

Las señoras, generalmente, no salen a comprar nada concreto, sino a excitarse el estímulo de com-

156

prar. Los grandes almacenes las acogen y arrullan, las arrastran de sección en sección, mientras fuera el sol va perdiendo fuerza y los niños empiezan a tener frío en el parque. Para la primavera algo hay que comprar, pero no saben bien lo que necesitan. ¡Qué visto se está haciendo el escocés! Es mejor no hacerse muchas cosas. Un par de trajes buenos y basta.

«Practique la elegancia social del regalo» —dicen unos carteles—. Y se viene a la mente el problema de dos o tres regalos de bodas anunciadas. Claro que hay tiempo. Ahora se mira un poco; ya se decidirá. Delantales. Eso también, que falta están haciendo delantales a la cocinera. Pero otro día.

Llegan las señoras a la sección de perfumería sin haber comprado todavía nada. La gente anda más reposada delante de aquellos mostradores; se mueve con armonía. Un delicado olor a cremas de belleza descansa, como un baño, los nervios fatigados. Hay espejos. Han llegado. El propósito colectivo estalla de nuevo, como un trallazo.

—Mira, este aparato es el que decía Aurita, el de masaje de cintura. Fíjate: quinientas cincuenta todo completo; tampoco es tanto. Chica, yo no sé si cogerlo. A ella le ha ido tan bien.

Es un extraño objeto; como un pulpo de goma con sombrero y rabo terminado en enchufe, de un tono violeta.

—Mujer, ¿ahora? Pero, ¿tienes dinero?

—El de los zapatos de Quiqui y el de los delantales. Pero ninguna de las dos cosas tiene prisa. Yo no sé;

a mí me parece que lo cojo. No lo ando pensando más. Tú, ¿qué dices?

—Que haces bien: las cosas, así, en el momento.

Vuelven despacio, en la tarde tibia, a coger un autobús en Independencia. Hay en esta plaza un Instituto de belleza como un templo pequeño, infranqueable, con sus grandes tiestos de boj, la puerta muy hundida, a cuarterones, al final de unas escaleras. Cuando aquella puerta se abre y sale alguna mujer hay algo de aparición arcangélica en toda su figura, en el rostro, de expresión beata, transfigurada, como si pasara las fronteras de otro continente y viniera rumiando recuerdos privilegiados. En las vitrinas, resguardadas por toldos redondos, apenas se puede gozar un atisbo de lo que debe ser el interior. Unas hojas de oro, unos guantes largos, morados, rodean exquisitamente dos cajitas cerradas o una ampolla ambarina. En estos días un gran acontecimiento sacude este arcano templo de belleza, que se ha dignado dar al exterior noticias gráficas de lo que dentro ocurre. Ha llegado Guy Nicolet, el famoso masajista. Aunque nadie hubiera oído hablar nunca de él, una vez escuchado el nombre, unido al de la categoría de esta casa, en mucho tiempo no lo olvidaría. Las amigas se detienen a mirar las dos grandes fotografías de este jovencito rubio, que ya habían visto retratado en el *ABC*. Parisiense, claro. Se sonríe, con aire enigmático, con algo de cantante existencialista. La fotografía del escaparate de la izquierda es la misma que la del de la derecha, y las dos del mismo tamaño, pero miran una hacia cada lado, se miran entre sí. Se mira Guy Nicolet a sí mismo, se sonríe, al pensamiento de Dios sabe qué secretos.

—Qué encanto de hombre —dice una de las señoras.

Y dos muchachos de mono azul que llevan unos tablones de madera y se han parado a descansar, miran a las señoras y al retrato.

—Mira cómo embelesa el rubito ése —comenta uno.

Y el otro se ríe al reemprender la marcha. Se pone a cantar con voz de falsete:

—«Ay, Dios, Guy Nicolé,
qué guapo del derecho,
qué fino del revé...»

Las señoras también arrancan de allí con paso perezoso.

—Imagínate lo que cobrará —dice la más experimentada, con cierto desaliento.

Ya empieza a anochecer, cuando las señoras vuelven a sus casas. Un roce molesto en el trolebús, un olor, la opresión de los zapatos, la belleza exagerada de una chica de veinte años, vuelve a estas horas a bajarles la moral. Piensan que están mal peinadas, que son esclavas de algo; les deprime la vuelta a casa, la idea de la brega con las cremas después de cenar. Pero hay que tener constancia, no decaer; si no, no se logra nada. Son las consignas.

Pasada la cena, cuando ya todos descansan, empieza la hora secreta de las señoras. El marido, desde la cama, o desde una butaca, escucha ruidos eléctricos, palmeos en la carne, al otro lado de la puerta del cuarto de baño. Bosteza. Alguna vez ve a la mujer que sale con la cara pringada de yema de huevo y acude al teléfono a pedir o dar consejos a alguna amiga.

Seguras, poderosas en su unión, alentadas por la coincidencia del rito, las profesantes de la nueva religión de embellecer se intercambian la savia motriz, a través de una red de vasos comunicantes que alcanzan a enlazar subterráneamente los rincones más apartados de la ciudad.

Se acuestan con la conciencia tranquila todas las que han sido capaces de cumplir, uno por uno, los más nimios pormenores de la obligación que se han impuesto.

Puede que dentro de sus ojos, antes de abandonarlos al sueño, baile hoy, amable y fantástica, la figura de ese Guy Nicolet, el nuevo diosecillo, que también esta noche han visto en el periódico que ojeaba el marido, de sobremesa. Campeaba, triunfaba la fotografía, iluminando todas las otras noticias monótonas en letra pequeñita, que nunca descubren nada excitante. Esas noticias de malas cosechas, de inundaciones, de amenazas de guerra, de niños que lloran sin madre en lejanos países, míticos, inexistentes.

Medicamenta, mayo de 1959

Quejosos y quejicosos

Hay veces que tenemos la valentía de abrir los ojos y de pasarlos un poco más despacio de lo que solemos por el espectáculo de vano e inerte bienestar con que se disfraza el mundo cada día para ocultar las mentiras y contradicciones que lo apuntalan, y comoquiera que veamos asomar alguna de estas mentiras y paremos mientes en ella, muy fácilmente ocurrirá que, al tirar de aquélla, salgan todas las otras enredadas, culebreando a la luz una por una, tan débil era la capa que las cubría, aunque tan atrayente y ofuscadora. Y entonces tendremos ganas de protestar, de delatar el engaño a los demás engañados para que abandonen su sonrisa y se quejen con nosotros. Pero apenas formulada nuestra alarma, cuando aún no ha llegado el eco ni siquiera a la pared, he aquí que siempre nos encontraremos con que hay una persona al lado dispuesta urgentemente a sofocar la queja, a convencernos de que las quejas se las lleva el viento; a decirnos estas frases u otras parecidas: «Tienes razón. Pero qué le vamos a hacer. Es mejor no pensarlo. Hay que aguantar. Con quejarse no adelanta uno nada». Y estas palabras, eso sí, nos las dirán suspirando, con una voz comprensiva y quejumbrosa, que nos invitará a caer en ese mismo quejumbreo, a entrar en el juego de la compasión por nosotros mismos. Y, desviada así nuestra queja de buena ley, se minimizará, convirtiéndose en quejido. Con lo cual habremos desertado de la abierta protesta que podría rodar, hallar eco y llevar a algún lado.

Es muy curioso que la capacidad de aguante esté tan desigualmente repartida. Es mayor cada vez la susceptibilidad y la intolerancia para las molestias personales, menor la sobriedad ante lo que es incómodo, casi nulo el ejercicio de adaptarse a las limitaciones de nuestra condición; mientras que en sentido inverso aumenta la tolerancia, el encogerse de hombros a la vista de lo más torcido, cuando nos lo presentan como inalterable y justo; se hace fabulosamente ancha la manga del aguante y la paciencia para seguir fingiendo que no se ven las mayores falsedades.

Por desgracia el mundo va estando de hecho cada vez más sostenido y fertilizado por esas quejas que alguien consigue abortar. Y los quejosos, al ir encontrando por acá o por allá su opio y su halago, deponen con suma facilidad su actitud de protesta y entierran sus quejas a medio fermentar con las que se forma un abono, un humus conservador para lo ya establecido. En cambio, crece y se desarrolla de un modo alarmante la legión de los quejicosos, los cuales siempre hallan ambiente propicio para realizarse.

Leo en el Diccionario: «*Quejoso*. Que tiene queja de algo». «*Quejicoso*. Que se queja demasiado con melindres o sin causa.»

Pues bien, las mismas personas que han parecido compartir la amargura que sentíamos al poner en evidencia el engaño y vanidad del mundo, pero que nos han hecho desistir de cualquier manifestación pública de descontento, que han aplacado nuestra queja, por tacharla de inútil, esas mismas personas nos sorprenderán desatando a la vuelta de la esquina una atroz intransigencia por la más pequeña fruslería que les afecte personalmente, no vigilarán su propensión a sentirse ultrajadas, irritadas, al borde de los nervios ante una leve contrariedad. Todos hemos asistido miles de veces a escenas de intolerancia para con los defectos del prójimo o para aceptar las adversidades; hemos oído alzarse clamores indignados al roce de la menor incomodidad. Frases como «Eso no se lo aguanto yo ni a él ni a nadie», o «No me conoce si ha creído que yo voy a pasar por eso», y también «Un calor del infierno, insoportable; yo me muero de calor», o «Era un guiso repulsivo; imposible de todo punto, te lo digo, comer aquello», «En este país no se puede vivir, es que no se puede», etc., son frases que se escuchan y se admiten cada día, y al hallar eco se hinchan y se refuerzan unas a otras poderosamente, creando escuela. Con estas frases los quejicosos no hacen sino fortificar las murallas de inercia que impedirán cada vez más el acceso a otras voces de verdadero renuevo; ciegan los poros por donde podría respirar y alentar la disconformidad con los supuestos que todavía alguien se niega a admitir como irremediables; impiden las protestas peligrosas, las únicas que provocarían algún cambio.

Uno de los atributos más característicos del quejicoso estriba en que no quiere remediar nada, en que solamente pretende lo que vulgarmente se conoce con el nombre de desahogo personal. Sobre esto del desahogo habría que hablar mucho, y a mí me parece que está relacionado directamente con el histerismo. Tanto en dolores físicos como en morales, al quejicoso lo encontramos casi siempre rodeado de otros seres análogos que le miran compasivamente y le consuelan, ya tácita, ya explícitamente; que le dan pie para seguirse afirmando en su postura de víctima. Sin embargo, pensemos (a todos nos ha ocurrido alguna vez) en lo que varían las cosas de decir, por ejemplo, «esto es espantoso, horrible, intolerable» a dejarlo de decir. Hasta tal punto es diferente que el malestar puede llegar a borrarse del todo si atajamos los quejidos cuando aún no han empezado a constituir un alud indetenible. Esto es duro, requiere una cierta disciplina inicial, hace renunciar al alivio momentáneo, y por eso no suele hacerse. Pero el consuelo que acarrea el desahogo no es más que una ilusión de los sentidos, que a la larga aumenta el malestar, ya que lo fija y estabiliza sin remedio. De hecho todos hemos sido víctimas muchas veces de malestares que agarran y hacen presa en nosotros de un modo real, partiendo de males imaginarios, apenas perceptibles. Si toman cuerpo y entidad es porque casi antes de iniciarse ya están fomentados por un estallar de quejidos que va *in crescendo* hasta desbordar, llegando a acarrear tormentas, a veces, por desgracia —ésas sí—, bien reales y dañosas.

Si se hiciera una estadística de las veces que se repiten en el día frases equivalentes a «es que yo no lo puedo aguantar» y pudiera calibrarse en cada una de estas quejas el verdadero mal que las motiva, sin duda quedaríamos asombrados del tanto por ciento tan elevado de quejidos inconsistentes. Y al decir inconsistentes no me refiero tan sólo a los casos en que se dirijan a denunciar una situación sin remedio (en éstos es clarísimo que el quejarse no vale de nada), sino también a otros muchos en que habría sido más provechoso y ético aceptar el pretendido mal, aunque hubiese entrado en lo posible desviarlo, ya que de adaptarse pacientemente a la molestia que nos lo haría ver como tal mal no se habría derivado sino enseñanza y bien.

Hay un proverbio indio que dice: «Si lloras porque has perdido el sol, las lágrimas no te dejarán ver las estrellas». Esto es muy de verdad. El tiempo que se despilfarra en quejidos no solamente cría inercia de quejidos nuevos y hace más difícil la posibilidad de sobriedad ante los avatares y molestias venideras, sino que además imposibilita para recibir la enseñanza de ese período de adversidad, cierra los ojos al aprendizaje. Somos seres limitados, sujetos a una serie de accidentes, alteraciones y movimientos. Si durante el curso de cada uno de ellos estamos atentos a nosotros mismos, a la molestia personal que el camino nos ha acarreado, encerrados en echar de menos el bienestar de una circunstancia menos adversa o simplemente más cómoda por más conocida, habremos perdido ese tiempo sin dar un solo paso adelante, no habremos reparado en ninguna de las cosas que, al variar por fuera de nosotros, podrían haber enriquecido e iluminado nuestro conocimiento.

Atajemos de una vez la expansión de los quejicosos. No queramos escuchar su música morbosa y pegadiza. Dejemos de alentarlos, de decir: «Tiene razón el pobre; no sé cómo lo aguanta. Yo no lo aguantaría tampoco; no se puede aguantar». Pongamos a su alrededor vallas inhóspitas y erizadas.

Y levantemos nuestras compuertas. En cambio, abramos alegremente los oídos a las pocas voces que van quedando de los que de verdad «tienen queja de algo» y querrían desembocar en reformarlo y mudarlo de alguna manera.

Medicamenta, junio de 1960

Cuarto a espadas sobre las coplas de posguerra

La ventaja de peinar canas, aparte de su discutible valoración estética, nunca podrá derivarse sino de una actitud de aceptación frente al fenómeno. Con el tiempo pasa igual que con la soledad: únicamente metiéndose de lleno y a cuerpo limpio en sus fauces puede llegar a regalarnos su fruto, ese fruto tan duro de arrancar como de pelar, y también —quién lo duda— tan precario, pero que muchos querrían gustar y buscan en baldío. Y este filosofema barato viene a cuento de avalar los comentarios que me voy a permitir hacer sobre el cancionero de posguerra, algunas de cuyas letras han sido editadas recientemente,[1] mediante una confesión previa: la de mi edad.

En 1939, es decir cuando terminó la guerra española, yo tenía trece años cumplidos. Este mismo año, según leo en la solapa del libro que motiva las presentes consideraciones, nació en Barcelona el autor o recopilador del mismo, Manuel Vázquez Montalbán. Parecerá una puntualización insignificante, pero no lo es. Lo sería, es decir, supondría un dato sin relieve en sí mismo e incapaz de conferirme prerrogativa especial alguna, si se tratara de hacerlo valer para discutir con Vázquez Montalbán acerca de

1. M. Vázquez Montalbán, *Cancionero general 1939/71.* Editorial Lumen. Barcelona, 1972. Vol. I.

la tonadilla escénica de la segunda mitad del XVIII, pongo por caso. Precisamente hace poco he terminado de consultar papeles de esa época, y, por desgracia, a los papeles hay que atenerse. Si Vázquez Montalbán hubiera encontrado más documentos que yo, como si los hubiera encontrado un chico de dieciocho años o un señor de ochenta, ellos tendrían en principio ventaja sobre mí para hacer el trabajo, porque a Jovellanos, tan amigo de asistir a los espectáculos del tiempo, no lo vamos a resucitar. Las canciones que solazaban a los majos en sus expansiones populares y que, por medio de las tonadilleras del tiempo, accedían lentamente a alterar las maneras afrancesadas de las capas altas de la sociedad, tenemos que conformarnos con reconstruirlas a base de imaginación. Nos pueden ayudar las alusiones que los contemporáneos hayan tenido a bien dejar dispersas sobre la cuestión en libros de viajes, poemas o periódicos. Y si en alguno de estos testimonios escritos nos venimos a topar de pronto con el texto de una de aquellas canciones que empezaban a orientar el gusto de los nobles y los ilustrados hacia querencias castizas, bastante premio nos parecerá ya en sí mismo este raro hallazgo, como para que nos detengamos a ponerle el pero de si habrá quedado la copia bien o mal transcrita por aquel que la oyó. Cuando no hay otro recurso, paciencia. Ni nuestros padres ni nuestros abuelos van a llegar tan atrás con su memoria, por mucho que la estiren; no nos van a poder decir: «Qué va, no era así, no decía consuelo, decía desvelo», o «...sí, pero además tenía otra estrofa; verás, a ver si me acuerdo». Ni tampoco podrán contarnos, claro, cómo vieron llegar al teatro en litera, aclamadas por el pueblo, ni si tenían o no acento andaluz, ni cómo se movían y miraban desde el escenario María Antonia *La Caramba*, ni aquella «divina» María Ladvenant, de quien se dice que enloqueció a hombres de todas las clases sociales.

Pero así como la tonadilla dieciochesca se ha transformado ya irremisiblemente en asunto para cuyo tratamiento no cabe otra manipulación que la de archivo, no va a ocurrir lo mismo con las coplas de posguerra, tocante a las cuales, si falla la transcripción exacta del texto —y no tendría además por qué fallar, que los años cuarenta y cincuenta tampoco son el Prechelense—, aún queda gente de buena memoria que bailó esos boleros en un casino de provincias, acuñando para siempre en el recuerdo las palabras a cuyo conjuro irrumpía el permiso de que un chico y una chica pudieran abrazarse, y que vio varias veces a la Piquer sobre las tablas, grave y majestuosa, con el abanico en alto, tomándose estremecedoramente en serio, es decir, al pie de la letra —como que la mayor parte de las veces no era para menos—, las historias que salía a contar. Y el que lea aquí *contar* en vez de *cantar*, que no se lo tome por una errata de autor o de imprenta, similar a las que generosamente esmaltan el cancionero editado por Lumen. He dicho contar, y lo mantengo, porque precisamente las coplas escritas para Concha Piquer, aparte de juicios valorativos sobre su calidad, eran narrativa pura, y la función de su intérprete era contarlas bien, no traicionar la estructura ni la integridad de sus partes, nunca obedientes a un orden caprichoso, sino fundamental para la comprensión cabal del argumento, para la dosificación atinada de la emoción que el texto intentaba transmitir. «La canción —dice acertadamente Vázquez Montalbán en su prólogo— es un medio de comunicación prácticamente audio-visual, puesto que rara vez una canción se desliga de su intérprete.» Claro, y sobre todo, si este intérprete es consciente de su misión, como aquella mujer había llegado a serlo. Sabía muy bien a lo que salía al escenario, sabía que a aquellas historias no se les podía quebrar el hilo, y así, como buscando enhebrarlas, se quedaba hierática en las pausas, en aquella especie de entreacto solemne entre el preámbulo y el final de la historia, con la mirada perdida en el vacío, donde tal vez leía las palabras, casi siempre trágicas, de aquel desenlace que ya los espectadores solían conocer por habérselo oído otras veces referir a ella misma, lo cual no era obstáculo, sino aliciente para que lo esperaran en su exacta literalidad y volviera siempre a emocionarles. La fidelidad a aquellas palabras del texto se propagaba, pues, a los espectadores de forma ritual; nadie hubiera podido consentir que se alterara una sola letra de él, porque en la literalidad consistía su esencia, de la misma manera que por principio rechazan cualquier versión alterada algunas obras de teatro como *El Tenorio*, o los cuentos que se les cuentan de noche a los niños para que se duerman.

Sí; también las coplas de posguerra tenían en cierto modo una función narcótica: acunaban el miedo, convocaban el olvido, conjuraban el horror al vacío. Ahora, al cabo de los años, resulta difícil desenterrar sensaciones sobre las que han llovido «a posteriori» tantas consideraciones y tan manoseadas, como hemos hecho ya los de mi quinta sobre el fenómeno de la posguerra española; pero si, desechando por un momento tales consideraciones, me atengo a revivir la sensación fundamental de aquellos años y me esfuerzo por expresarla concisamente, creo que lo que predominaba era una especie de vacío. Se vivía como en sordina, y eso los niños lo percibíamos muy bien: era el clima que preside las convalecencias, cuando se mueve uno entre prohibiciones, con cautela y extrañeza, y llegan amortiguados los ruidos. Nadie quería hablar del cataclismo que acababa de desgarrar al país, pero las heridas vendadas seguían latiendo aunque no se oyeran gemidos ni estallara la pólvora; era un silencio artificial, un hueco a llenar urgentemente de lo que fuera. Y ese papel lo cumplieron las canciones; unas canciones donde se dejó de hablar de Robledo de Chavela, del valiente y leal legionario, de los artilleros del cañón. Para tanta hambre de consuelo y olvido se echó mano de los sentimientos, se pregonó la esperanza, el amor, la lealtad. Pero sobre todo, la esperanza.

«*Yo sé esperar* —rezaba una canción—, / *como*

espera la noche a la luz, / como esperan las flores / que el rocío no envuelva...»

De esperar se trataba, pintaba esperanza. Y aprendimos a esperar. Esperábamos allí, dentro de las casas, con unos pocos libros y tebeos, entre juguetes baratos, con el postre racionado, sin viajes, decorando nuestros sueños de adolescentes con el material que nos suministraban aquellas canciones, al arrullo de sus palabras, que aprendíamos de memoria. ¿Cómo iba a ser de otra manera? Durante el Bachillerato y en los primeros años de Universidad, las chicas de provincias de mi tiempo hacíamos a diario un alto en el estudio de las monocotiledóneas y el mester de clerecía, para acercarnos a la radio a la hora de la merienda y escuchar, mirando la calle entre visillos, en un silencio veteado por la luz de la puesta del sol, los sones de Bonet de San Pedro, de Machín, de Raúl Abril, de la Piquer. Alimentaban, era el pan de cada tarde.

Cada uno de aquellos éxitos se mantenía cinco o seis temporadas en candelero. Las razones del fenómeno las explica muy bien Vázquez Montalbán; dice que no se habían convertido aún las canciones en objetos de consumo, que no se habían cosificado, como vendría a ocurrir años más tarde con motivo de «la aparición del microsurco, la comercialización del tocadiscos y la creación de la necesidad artificial de poseer y renovar el "stock" de canciones-objeto». Sí, era eso exactamente. En tiempo de escasez hay que

172

hacer durar lo que se tiene y de la misma manera que nadie tira un vestido ni deja a medio comer un pastel, a nadie se le ocurre tampoco consumir ávidamente una canción, porque no es un lujo, sino un enser fundamental y útil; la cuida, la rumía, le saca todo su jugo.

Y yo, que por haber sacado a aquellas canciones de los años cuarenta todo el jugo que tenían creo poder hablar de sus sabores, tengo que decir que la mayoría eran o dulces o saladas. Jugo amargo solamente lo tenían algunas de la Piquer, y aquel ingrediente excepcional —su amargura— era lo que las diferenciaba netamente de las demás. En aquel mundo de anestesia, de nana pura, entre aquella compota de sones y palabras pensados para fomentar la estabilidad y la confianza, para mecer noviazgos abocados a un matrimonio sin problemas, para apuntalar creencias y hacer brotar sonrisas, irrumpía a veces inesperadamente una ráfaga de sobresalto, como un desgarro sombrío, en la voz de aquella mujer, en las historias que contaba. Historias de chicas que no se parecían en nada a las que conocíamos, que nunca iban a gustar las dulzuras del hogar apacible con que nos hacían soñar a las señoritas; gente marginada, a la deriva, desprotegida por la ley. No solían tener nombre ni apellido aquellas mujeres; desfilaban sin identidad, enredadas en los conflictos que se derivaban de no tenerla, llorando penas parecidas y escuchadas en su apodo, que enarbolaban agresivamente: La Lirio, La Petenera, La Zarzamora, La Camelia, La

Parrala, La Ruiseñora, La Guapa, La Otra, cuerpos provocativos e indefensos que se apoyaban en los mostradores, en los quicios y en las esquinas, rematados por un rostro de belleza ojerosa. Costaba trabajo imaginar aquellos barrios, arrabales y cafetines que frecuentaban, las casas y cuartos donde se guarecían, pero, por otra parte —y en eso consistió la eficacia de su invención—, se las sentía mucho más de carne y hueso que a aquellos enamorados de los boleros que se miraban arrobados a la luz de la Luna. La Luna, en estas otras historias sólo descubría traiciones, puñaladas, besos pagados, borracheras, lágrimas de rabia y de miedo. Y aunque todo esto pueda hoy parecer retórica trasnochada, en aquellos años tuvo una misión de revulsivo y de zapa con respecto a los cimientos de felicidad que se estaban tratando de poner. Porque a lo largo del relato de sus avatares quedaba siempre claro que aquellas mujeres que no se despedían de un novio a las nueve y media en el portal de su casa, tampoco tenían la culpa de andar por la vida a bandazos ni de sufrir como sufrían; se señalaba, por el contrario, la injusticia de su situación, eran tratadas con clemencia. ¿Quién iba a sentir malas a personas tan desvalidas, tan apasionadas y generosas? Pero intranquilizaban por estar aludiendo a un mundo donde no campeaba precisamente lo leal ni lo perenne, por ser escombros de la guerra, por recordar aquel vacío en torno tan urgente de disimular.

Todo lo que llevo dicho creo que me concede ciertas prerrogativas para darme por entendida en canciones de la Piquer, cosa que, por lo demás, no me envanece nada. Se trata de un saber condicionado por la propia Historia; no es preparar una edición crítica de las obras de Shakespeare. Pero a la hora de las puntualizaciones, me parece tan válida la protesta del especialista en teatro inglés que se indignase ante una edición de *Romeo y Julieta* donde se omitiese la escena de la despedida de los amantes al amanecer, como la mía al encontrarme transcritas dos coplas tan ilustrativas de lo que vengo diciendo, como son el *Romance de la otra* y *Ojos verdes* —y lo curioso es que Vázquez Montalbán subraya su importancia en el prólogo—, en versiones totalmente inaceptables, por mutilada la una y por tergiversada la otra.

Y hemos llegado al *quid* de la cuestión, porque lo que me movió en definitiva a escribir este artículo fue el deseo de subsanar la defectuosa versión de esas coplas. Vázquez Montalbán se disculpa en una advertencia preliminar de «los fallos e inexactitudes que aparecen en los textos», o sea, que da por hecho que existen, aunque no sé si sospecha cuántos son. Pero como no se trata aquí de andar con pedanterías de erudito local, le concedemos las disculpas que pide, excepción hecha de esos dos casos, donde los errores y omisiones atentan contra el significado intrínseco de las respectivas historias, cuya belleza y sentido está exaltando e invitando a degustar quien no las ha captado.

La primera parte del *Romance de la otra* (páginas 48 y 49 del «Cancionero») se limita, como era costumbre en este tipo de canciones, a presentarnos al personaje —una mujer enlutada que vive encerrada y sola, sin diversiones ni compañía—, mediante un recurso narrativo muy eficaz: una sucesión de preguntas hechas en tercera persona, se supone que por la gente del barrio, que, conociendo de vista a esa mujer, ignora los motivos de tan extraña reclusión: *«¿Por qué se viste de negro, / ay, de negro, / si no se le ha muerto nadie?...»*. Durante toda esta parte —bien transcrita— se mantiene la indeterminación, el halo de misterio que el estribillo viene, en cierta manera, a romper, dando, con el cambio a primera persona, un quiebro de extraordinaria fuerza expresiva; la mujer de que se estaba hablando con intriga, se pone a hablar ella de sí misma, aparece en persona, irrumpe: *«Yo soy la otra, / la otra, / y a nada tengo derecho, / porque no llevo[1] un anillo / con una fecha por dentro. / No tengo ley que me abone[2] / ni puerta donde llamar / y me alimento a escondidas[3] / con tus besos y tu pan...»*, etcétera. Se ha rasgado en parte el misterio: se trata de una entretenida (destinada a entretener, en el sentido de divertir, a cambio de ser entretenida, en el sentido de mantenida), la mujer de respuesto a quien se ha puesto un piso, la Otra. Y Vázquez Montalbán se da por satisfecho con esta presentación genérica del personaje, termina ahí, sin entrar en el argumento, en

1. Es llevo, y no tengo.
2. Es abone, mucho más expresivo que ampare.
3. No es, claro, mi alimento escondío.

el drama de esa mujer concreta del romance. Silenciada la segunda parte, que es donde ella exponía sus agravios, las razones especiales de su sufrir, la fuerza de la historia se desvirtúa. Porque no se trataba de una entretenida que hubiese llegado a serlo mediante convenio aceptado, sino de una embaucada. El hombre que ahora venía a verla como a un ser sucedáneo y vergonzante, le había antes dado palabra de casamiento. Y el paso a esta situación degradante, a esta sima donde la Otra enterraba irremisiblemente sus esperanzas de identidad, ni siquiera se había efectuado, además, mediante confesión recibida de labios del amado, lo cual le habría servido de consuelo; no, lo había sabido por terceros, por casualidad.

Y aquí, en la parte omitida, tiene lugar una de las quejas de amor más poéticas y desgarradas que se hayan proferido jamás, semejante a aquella de Bécquer: *«Cuando me lo contaron sentí el frío / de una hoja de acero en las entrañas…»*. Los porqués con que arrancaba la primera parte, puro chismorreo de gente desocupada, se convierten ahora, al ser recogidos por la boca de la Otra, en llama de protesta y amargura. Copio entera esta segunda parte, que es la mejor, y de la cual en el «Cancionero» de Lumen no aparecen ni rastros:

«¿Por qué no fueron tus labios, / ay, por qué, / que fueron las malas lenguas / las que una noche vinieron, / ay, vinieron, / a leerme la sentencia? / El nombre que te ofrecía / ya no es tuyo, compañera. / De

azahares y velo blanco / se viste la que lo lleva. / Porque fue tu voluntad / mi boca no te dio quejas, / cumple con lo que has pactao, / que yo no valgo la pena, / que yo no valgo la pena».

Esta segunda parte remata, como la anterior, con el estribillo.

El asunto de *Ojos verdes* (páginas 81 y 82) consiste en una rememoración. Hecha, como está, por una mujer de la mala vida, para quien todos los recuerdos se han fundido ya en la indeterminación, adquiere, a pesar de la simplicidad de los recursos poéticos empleados, una belleza sólo comparable a la de algunas canciones antiguas de amor y de alborada, donde se exalta la fugacidad del amor y el desgarrón de la despedida. Se rememora una noche concreta, una noche de mayo, destacada nítidamente ante el magma de otras escenas aparentemente semejantes. El hombre tenía los ojos verdes, y por ser ése el único dato que la mujer nos da de él, la peculiaridad que se lo diferenció para siempre de cualquier otro, ese verde de los ojos del ausente, se convierte en emblema de poesía, en talismán de amor. La primera parte evoca la llegada a caballo del hombre a la puerta de la mancebía, en cuyo quicio ella se apoyaba; las breves palabras que cruzaron antes de que el deseo de pasar la noche juntos se encendiera. Está, como el estribillo, bien transcrita. En la segunda parte evoca el amanecer y la partida del hombre a quien tan intensa y fugazmente ha amado, rematada la escena por el

178

rechazo de ella a recibir ningún pago por aquellas horas en que ha conocido el placer de darse a otro por propia voluntad. («*Serrana / para un vestío yo te quiero regalá. / Yo le dije estás cumplío / y no me tienes que dar na*».) Pues bien, la estrofa inicial de esta segunda parte donde ya se preludia, al mirar amanecer desde la cama, la despedida irreparable es así:

«*Vimos desde el cuarto / despuntar el día / y sonar el alba / en la torre la Vela*».

Es fundamental la evocación de esas campanadas agoreras, precursoras de la oscuridad en que ella va a vivir inmersa desde entonces, alimentada ya sólo por la luz de aquellos ojos del recuerdo. Veamos, en cambio, la transcripción de Vázquez Montalbán:

«*Vino desde er puerto / ar despertá er día / y sonar er arba / al amor de la vela*».

Es una transcripción imperdonable; aunque en alguna versión corra así, cualquier oído medianamente sensible rechazaría tanto disparate. ¿Cómo va a venir del puerto, si ya estaba con ella y poco después dice cómo se va de sus brazos? ¿Y cómo *vino* va a unirse gramaticalmente mediante copulativa con un infinitivo como *sonar*? ¿Ni al amor de qué vela?

Espero que el amigo Montalbán me perdone tanta indignación y que, en nombre del interés que dice tener por las canciones que ha editado, no le parezca excesiva, sino justa. Hay canciones y canciones. Si en la transcripción de una que se cantaba machaconamente hace tres veranos, titulada «María Isabel», y que viene en la página 304 de este volumen, en lugar de poner: «*Coge tu sombrero y póntelo / vamos a la playa, calienta el Sol / Chiribiribí, po po pom pom*», hubiera puesto: «*Cuja te sombraru y pentala, / vimas a la pluye, culanta la sal / Churabartabí, pi pan pi pan*», daría exactamente lo mismo porque ni cuenta nada, ni significa ni evoca nada, ni convence de nada. La pretensión de los letristas era sacarse un montón de pesetas ese verano, cosa que seguramente lograron con abundancia, y basta.

Creo haber demostrado cumplidamente que el caso de las canciones de Conchita Piquer era un poco distinto. Y aunque el hecho de volverlas a sacar hoy a relucir no sé si tiene mucho sentido, al menos, si se hace, que se haga con gana y con esmero.

Porque, como decía Antonio Machado: «Entre hacer las cosas bien y hacer las cosas mal, hay un honrado término medio que es no hacerlas».

Triunfo, noviembre de 1972

Mi encuentro con Antoniorrobles

Durante los años de la República floreció en España un artífice de la canción infantil, a quien no vacilo en calificar de genial, que se firmaba Antoniorrobles, así, todo junto, como si su modestia le impidiera desplegar por separado la bandera del apellido. En casa de mis padres se conservan, aunque muy deteriorados por lo muchísimo que los hemos leído mi hermana, yo y posteriormente mi hija, cuatro tomos de cuentos suyos titulados, respectivamente: *Hermanos monigotes, Cuentos de los juguetes vivos, Cuentos de las cosas de Navidad* y *Cuentos de niñas y muñecas*, que suministraron alimento y fantasía a una gran proporción de niños de anteguerra y que hoy constituyen una auténtica rareza bibliográfica, no sólo por la delicadeza de la tipografía y de los dibujos, sino también a causa de un fenómeno tan comprensible para mí como para cualquiera que tenga la suerte de leerlos: de que jamás hayan sido reeditados en España, a despecho del éxito que entonces alcanzaron.

Muchas veces, en este árido y ya tan dilatado período que nos separa de los años treinta, a lo largo del cual la literatura infantil ha venido orientando y condenando sus preferencias con progresiva y alarmante monotonía, ora hacia la ñoñez ora hacia la violencia, me he preguntado qué habría sido de aquel escritor irónico, tierno y surrealista que con tan acierto era capaz de tender a los niños su excelente prosa como una mano para enseñarles a hacer piruetas sobre lo cotidiano y sobre lo mezquino, quiebros con que burlarlo y desmentirlo; aquel hombre cuyo rastro parecía haberse borrado de la memoria de los vivos. En una ocasión mi padre consiguió enterarse por no sé quién de que vivía en el exilio y no volvimos a saber nunca nada de él, pero yo me resistía a darlo por esfumado ni por muerto, y en un reducto nebuloso donde germinaron inadvertidamente los primeros modelos para nuestra intuición literaria, han vivido siempre una existencia subterránea y autónoma los personajes de ficción de Antoniorrobles, criaturas inmortales por su triple condición de absurdas, de generosas y de fantásticas.

La primavera pasada me enteré casualmente por un amigo de que Antoniorrobles, ya octogenario, había regresado de Méjico y residía en El Escorial. La noticia me produjo una gran alegría, decidí ir a visitarle e incluso estuve hablando de él con mis amigos de la editorial Nostromo para ver de interesarles en la reedición de alguno de sus cuentos que, como era de esperar, no conocían. Quedaron aplazadas las gestiones con la llegada del verano, y los múltiples e inútiles agobios que teje en torno nuestro la vida de la ciudad fueron demorando, por otro lado, mi propósito de visitar al viejo escritor.

Hace una semana, estando de paso por El Escorial, mi encuentro casual en un café con Manuel Andújar facilitó de forma inopinada el cumplimiento de mi proyecto pendiente, porque vino a resultar que Andújar estaba citado allí con Antoniorrobles, a quien había conocido durante su estancia en Méjico, y al darle yo noticia de mi interés, se brindó a presentármele con gran satisfacción por mi parte, ya que siempre he dado más valor a las coyunturas que configura el azar que a las que vienen forzadas por una deliberación previa. Antoniorrobles, que apareció en el local al poco rato en compañía de su mujer, es un hombre alto y algo encorvado que no está seguro de si son ochenta los años que acaba de cumplir el pasado 18. Tiene las manos grandes, la mirada entre ingenua e irónica y un humor ausente con vetas de disparatado. Acostumbrado como está a que casi nadie en el país se acuerde ya del santo de su nombre, acogió mis encendidas palabras de salutación y homenaje con una perplejidad incrédula que poco a poco se fue diluyendo ante la garantía de los datos que mi memoria le aportaba. De los cuentos de que yo le hablaba, dijo que se acordaba poco, porque durante la guerra perdió todos esos libros y nunca los ha vuelto a releer, así que, a petición suya, le conté el argumento de algunos de ellos, poniendo en mis improvisados resúmenes la emoción inherente a la situación misma que los provocaba. Le hablé del camello que se fingió juguete para no dejar sin regalo de Reyes a un niño pobre, de «la princesa que no en vano se dejó lamer la mano», de la niña Cristalina que no tenía amigas y llegó a conseguir que su imagen en

183

el espejo le dirigiera la palabra y saliera del cristal para jugar con ella, de las proezas del avioncito de hojalata que era un juguete tan modesto que a su piloto sólo se le veía de perfil, del pavo que se comió los cerditos que habían puesto en el belén, porque estaban hechos con bellotas, de la niña que se metió a astrónomo y evitó la catástrofe de un cometa que amenazaba con destruir la Tierra. «Pero ese tipo tenía mucho talento, ¿no te parece?» —le oí decir al propio Antoniorrobles que, como por encanto, estaba allí en carne y hueso recogiendo de mi boca los cuentos que él tantas veces me contara—. «A saber si no los copiaría de alguien —añadió luego—, la gente de ese tiempo se copiaban mucho las cosas unos a otros.» Pero debajo de esas bromas se le veía emocionado, y en un determinado momento me cogió las manos y me miró con ojos brillantes, mientras me daba las gracias. Puedo decir, sin el menor asomo de retórica, que esa mirada de Antoniorrobles me devolvió un tramo perdido de mi infancia. Me vi de repente no en aquel café de El Escorial, sino acurrucada en un viejo sofá verde de mi casa de Salamanca donde me sentaba a leer cuentos y a soñar prodigios, a los siete, a los ocho, a los nueve años; vi el cuarto de jugar, las mariquitas recortables, los tebeos; percibí el desorden, la luz, el olor de la estancia aquella con los juguetes tirados por el suelo, los ruidos de la cocina colándose a través de la puerta —«¡Niñas, que vengáis a comer!»—; vi los árboles oscuros que asomaban por encima de las tapias de un jardín que había al otro lado del patio. Si alguien, en

184

una de aquellas mañanas en que yo empezaba a descubrir la ebriedad de la lectura, me hubiera dicho que un día iba a estar sentada en un café con Antoniorrobles y que iba a tener también yo libros de cuentos sacados de mi cabeza y colocados en los escaparates de las librerías, me habría quedado sin respirar, incrédula y fascinada, en espera del portento; habría pensado seguramente que sólo bajo la batuta de un demiurgo como Antoniorrobles podían operarse transformaciones de esta índole.

Y en parte, era verdad. Detrás de mis mejores cuentos, como *La chica de abajo* o *Tendrá que volver*, late sin duda la sombra de Antoniorrobles, y uno de los móviles que me han traído a escribir estas líneas es el de declarar públicamente aquí mi deuda con este maestro, porque cada día la veo más clara.

El segundo móvil, y mucho más importante, es el de hacer un llamamiento a todos los editores que tengan un mínimo de olfato literario y de buena voluntad para con la indigencia mental de los niños de hoy, alimentados a base de subproductos miméticos, bazofia disfrazada de actualidad. Precisamente Antoniorrobles con su prosa da un mentís a los criterios erigidos en aras de la actualidad: él es moderno porque es perenne. Hace cuarenta años echó a navegar al río del tiempo sus creaciones literarias como una frágil y enhiesta flotilla de barcos de papel; desde la orilla los miró alejarse a impulsos de su soplo seguro, y ahora, al cabo de los años, de puro no pedirles cuentas, de puro desprendimiento y confianza, ha llegado a perder la memoria de su rumbo.

Pero aún queda gente en el país para preguntar, como yo pregunto: ¿Por qué, en nombre de la justicia más elemental, no le ayudamos entre todos a refrescar esa memoria?

Informaciones, septiembre de 1975

Conversaciones con Gustavo Fabra

Hablábamos con frecuencia Gustavo Fabra y yo en los últimos tiempos de que el tropezadero que aborta muchos escritos estriba en una peculiar deformación, heredada de los años escolares, que nos mueve a encasillar de antemano en un género literario determinado lo que vamos a poner en ese papel blanco que contemplamos perplejos sin osar estrenarlo, más atentos a la forma que al contenido posible de nuestro discurso. Y conveníamos en que esa excesiva cautela o aprensión ante la naturaleza de los caminos por definir paraliza no pocas veces nuestro inicial conato de echar a andar, ya sea por caminos trillados, por perdederos inéditos o campo a través. Casi siempre, discurriendo así, veníamos a parar en lo mismo, en un encomio de las ventajas que, a ese respecto, presenta la conversación frente a la escritura, sorprendidos ambos de la espontaneidad con que se mete uno a hablar de lo que sea sin andarse ateniendo a esquemas previos y de la riqueza que puede suponer la exploración verbal conjunta de cualquier tema, de este mismo, por ejemplo, de las diferencias entre hablar y escribir, que lo mismo a Gustavo que a mí nos interesaba y atraía tanto que casi sin darnos cuenta nos volvíamos a ver una vez y otra paseando por él por una plaza mayor de provincias a la que llevan todas las calles. Ahora, al intentar hacer una recapitulación por escrito de aquellas estimulantes conversaciones, sólo consigo revivir el atractivo de aquel deambular con Gustavo por nuestro tema favorito y entiendo con una lucidez desgarradora la naturaleza de las diferencias entre escribir y conversar.

Gustavo Fabra era uno de los seres más disponibles que he conocido, capaz de interrumpir cualquier quehacer personal para acudir a un amigo con el libro o la palabra que necesitase, y esta misma disponibilidad para con las solicitaciones incesantes de la gente y del espacio le traían a veces azancaneado y distraído, pero, aunque escapase con los ojos a otra parte, como agobiado de presencias, sabía hacer a los demás esa compañía antigua y distante, casi intemporal, de los buenos tertuliantes de café. Yo a veces le decía: «Tú tienes la gran ventaja de que no existes», y a él le hacía gracia la frase, se sonreía, parecía que se estaba dejando siempre tomar el pelo, pero yo sé que aquella sonrisa suya contemporizadora que desplegaba para no vulnerar a nadie, estaba cargada también de escepticismo y de ironía y era un escudo tras el cual defendía su intimidad. Nunca rehuía a la gente, aunque eso despedazara y dispersara su pensamiento, pero estaba más empeñado de lo que parecía en una búsqueda de concentración, hubiera querido conseguir el mismo grado de atención cuando estaba en presencia de cualquier ser humano que en soledad, lo que pasa es que no podía.

A mí me buscaba en general para hablar cuando

estaba cansado y me avisaba en cuanto el calor de la charla le iba desentumeciendo, fenómeno que saludaba y comentaba con alegría: «¿Sabes que ya me despabilo?» le gustaba mucho la palabra despabilar y adoraba aquel pasaje del Fedro cuando la calina de la siesta y el canto de las cigarras están a punto de adormecer a los hablantes y Sócrates exclama: «¡Despierta, oh Calicles!», yo se lo repetía en broma si le veía languidecer. Nos complementábamos bien para hablar Gustavo y yo; mis réplicas eran más anárquicas y apasionadas que las suyas, y solía intercalar sucedidos o refranes, a él le estimulaba esa viveza y a mí, en cambio, las citas de sus múltiples y bien digeridas lecturas, aquellos oportunos paralelos entre lo que estábamos tratando y lo que tal o cual escritor había pensado sobre el tema, pero siempre introduciendo y admitiendo de buen grado el quiebro del humor. Cuánto he hablado con Gustavo Fabra y qué bien desde hace años, en el autobús, en el café, paseando, en mi casa, en los descansos del cine o del teatro, por los pasillos del Ateneo, qué cúmulo de horas muertas y al mismo tiempo vivas, triunfalmente ganadas a la muerte. Nadie me ha dado pie de forma tan inapreciable y generosa para analizar en alta voz mis problemas frente a la escritura; ahora pienso que era como llevar un diario que el aire aventaba sobre los desalientos y conflictos de mi trabajo. A veces, cuando nos separábamos, hacía un recuento de lo que habíamos estado diciendo y trataba de resumirlo, otras, incluso, si sus sugerencias eran demasiado apretadas, tiraba de cuadernito delante de él y tomaba algún apunte. Qué frías y qué inútiles me parecen ahora estas notas dispersas por mis cuadernos, los consabidos «después de hablar con G. F.» con la fecha congelada debajo. Hoy veo al fin bien claras, sin necesidad de análisis ni discursos, las diferencias entre hablar y escribir, porque sólo la ausencia de aquel interlocutor incondicional y la amarga certeza de que nunca volveré a oír su voz son capaces de darme la medida y el resumen definitivo de tales diferencias.

La última conversación que tuve con él en esta misma habitación donde hoy, como homenaje a su memoria, pugno por transformar mi emoción en palabra, versó sobre la literatura epistolar. Decíamos que las cartas a un amigo son lo único que se parece un poco a hablar y yo le leía un texto mío, reciente que le gustó mucho y que dice: «En trances de acidia y empantanamiento, lo que menos pereza da es ponerse a escribir a un amigo, porque en una carta no se tiene por desdoro empezar contando cómo es la fonda desde la cual escribimos ni si se oye el pitido de un tren o lo que se ve por la ventana o si el papel de la pared es de florecitas amarillas con una greca malva en el remate, circunstancias inmediatas que, al ser consignadas, desplegarán su poder de convocatoria y hasta podrán llegar a marcar el texto de la carta misma». Releo esto ahora y me parece que viene tan a cuento como las citas de otros autores con las que él esmaltaba nuestras charlas. Llevo toda la mañana debatiéndome entre la necesidad que siento de escribir algo sobre Gustavo Fabra y lo inadecuados que se me antojan para el caso todos los géneros literarios conocidos. Si pudiera escribirle una carta explicándole cómo era el local donde recibí en San Sebastián la noticia de su muerte, en el curso de un viaje que él estuvo a punto de emprender conmigo y otros amigos, describirle los objetos que en aquel momento miraron mis ojos y las imágenes que me evocaron, tal vez este artículo habría logrado cobrar una entidad aceptable. Me he resistido, con todo, a encabezarlo poniendo «querido Gustavo», fórmula tan obvia, familiar e imperceptible que sólo resulta valedera cuando se da por descontado que la persona a quien se dirige va a pasar fugazmente los ojos sobre ella dispuesto a leer placenteramente el resto de la carta; pero ya al final de estas líneas, a manera de un grito en el vacío, oh mi inexistente, decimonónico, irremplazable amigo, no sé sustraerme a la amarga e inútil tentación de estampar aquí, aunque sea sin aquel descuido y naturalidad de antaño, esa fórmula única que podría volver a abrir la puerta de nuestro fluido de comunicación irrecuperable: «Mi buen Gustavo, mi querido Gustavo», como remate al primer escrito mío que ya no vas a poder leer.

Informaciones, enero de 1976

Ponerse a leer

«Mettez vous à genoux et la prière viendra»

Hay dos formas de ponerse a leer, como de ponerse a hacer cualquier cosa en la vida: una serena y otra impaciente. Cuando nuestros humores se mantienen en un equilibrio más o menos estable, entramos en el libro dispuestos a que nos cuente lo que buenamente quiera, no le forzamos a que él entre en nosotros y acierte con el resquicio exacto por donde puede inyectarnos consuelo. Simplemente le escuchamos.

En estas ocasiones, la cosecha de la lectura, cuando vale la pena de llamarla así, no está alterada por ninguna granizada intempestiva y somos capaces de recoger el fruto y de guardarlo en nuestros graneros con vistas a aprovecharlo algún día. Es la postura correcta frente a los libros, como frente a las personas: no acudir a ellos con exigencias preconcebidas, abandonarse a lo mucho o lo poco que nos den. Únicamente así cabe el entendimiento y la comprensión de lo que son y nos dicen.

Pero no es siempre esta actitud, por desventura, la que preside el encuentro. Porque tampoco somos siempre capaces de mantener en un punto idóneo de tensión la rienda de nuestros humores, que con tanta frecuencia se destemplan. Y en estos casos de destemplanza, acudimos al libro alborotadamente, con urgencia y pasión, en busca del remedio que justamente entonces se niegan a depararnos.

Quien haya conocido, por ejemplo, la creciente alteración que se va incubando en las noches de insomnio y soledad, a esas horas en que ya los bares y las farmacias han cerrado sus puertas y no nos atrevemos a interrumpir telefónicamente el sueño de los amigos, no necesitará una descripción detallada de este talante compulsivo y casi frenético con que se echa mano de los libros en coyuntura semejante, ni de la intemperancia con que se les reprocha su distancia y desvío.

Escribo estas líneas de madrugada, después de dar muchas veces la luz y apagarla otras tantas, precisamente en el estado a que me he referido, bajo los efectos de comprobar desesperadamente, al cabo de reincidentes excursiones por todos los estantes de la casa, la ingratitud e inutilidad de la letra impresa para aliviar mis males de esta noche. Y ahora, agotadas las tentativas infructuosas de la búsqueda, miro con hostilidad el montón de tomos desparejados, agarrados al azar, que se apilan en la mesilla, en el suelo y sobre la cama. Algunos son amigos antiguos, otros recientes, otros desconocidos. Pero ninguno me ha dejado llorar sobre su pecho ni ha acertado a decirme lo que yo quería oír. Y los he ido cerrando uno a uno de malos modos, tras hojearlos sin convicción, furtivamente, y al final echarles en cara lo bien que los escucho yo a ellos casi siempre. Escena que, como es natural, no servía más que para acentuar su gesto frío

194

y esquivo. Porque así, por ese camino del insulto y del reproche, no se puede hacer las paces con nadie ni recibir compañía ninguna.

—La culpa es tuya —dicen sin mirarme—, porque nos zarandeas y exiges unos favores que sólo concedemos graciosamente a quien no tiene los ojos nublados ni el alma en tormenta, a quien no le da igual Balzac que Conan Doyle o que Pavese o que Todorov.

Su discurso sigue sin aportarme el menor consuelo, pero comprendo que es sensato. Menos mal que lo he entendido así y he sido, por lo menos, capaz de descargar mi desazón escribiendo este artículo.

Recojo con un suspiro los libros dispersos. Mañana será otro día. Voy a apagar la luz.

Diario 16, enero de 1977

Indice